中国国家汉办规划教材

体验汉语系列教材

O9-AIF-191

www.chinesexp.com.cn

体验 汉语
Experiencing Chinese

留学篇
Studying in China

供2周使用

Two Weeks

顾问　刘 珣

编者　田 艳　陈作宏

高等教育出版社

Higher Education Press

《体验汉语®》立体化系列教材

教材规划委员会:

许　琳	曹国兴	刘　辉	刘志鹏
马箭飞	宋永波	邱立国	刘　援

短期课程系列:

《体验汉语®·留学篇》(供2周使用)

顾　　问: 刘　珣
编　　者: 陈作宏　田　艳

策　　划: 梁　宇　徐群森
责任编辑: 梁　宇
封面设计: 周　末
版式设计: 孙　伟
插图选配: 梁　宇　金飞飞
插图绘画: 周　末
责任校对: 梁　宇　金飞飞
责任印制: 朱学忠

亲爱的老师:

　　您好! 欢迎您使用《体验汉语·留学篇》(供2周使用)。我们希望您和您的学生在使用本教材的过程中有所收获,并得到愉悦的体验。

　　我们认为,学习汉语的最佳途径就是用汉语进行交流,在使用汉语中学会汉语,因此我们力求在教材中体现体验式教学的现代教学理念,为您提供任务型的教学方案。

教材的主要特点

- 这本教材是以短期留学生的生存需求为依据,以实用的交际任务为主线编写的任务型教材,注重听说,淡化语法。
- 教学对象是母语为英语的零起点汉语学习者和初学者。
- 课文内容真实,语句简短易学,利于学生记忆和使用。
- 练习形式多样,实践性强,尤其是互动性的任务练习,能够极大地激发学生的参与意识。
- 图文并茂,形式活泼,不但可以减轻记忆负担,还可以增加学生的学习兴趣。
- 全书由1个语音训练营(1~2学时)、12个单元(3~4学时/单元)和两首中国歌曲组成。教材的整体安排充分考虑到短期速成教学在时间安排上的灵活性和多样性,从而使教材具有很大的伸缩性,所以教学时间为40~50学时的短期班都可以选用本教材。

教材的基本结构

一、语音训练营

　　根据短期班学生的特点,本书将语音部分放在"语音训练营"中集中处理。您可以根据教学计划,安排1~2个学时进行语音训练。为了方便短期班学生的学习,我们只对上声变调和轻声作了说明。在j、q、x和ü相拼的问题上,我们有意保留了ü上的两点;"一"和"不"的声调在书中是按实际发音标注的声调,这样便于学生认读。

二、单元构成

　　每单元由词语、句子、情景、即学即用和课堂活动几个部分组成。每单元列出了2~3项目标任务,全书累计出现了250多个词语。我们未编排专门的语法注释,而是把课文中的语言难点以"语言小贴士"的形式在课文中随文标注。

　　本教材的课堂活动设计突出体现了体验式教学的特点,此部分不但保留了传统教材中的一般练习形式,还设计了实践性很强的任务型练习。您可以根据本班学生的实际情况和教学安排,有计划地选用。

三、灵活选用的部分

　　短期速成教学的灵活性极强,教材也必须具有很大的伸缩性。我们充分考虑到了这一点,为您提供了很多可以灵活使用的部分。

　　即学即用:这一部分的内容是口语中随时都有可能用上的短语短句。

游戏：该部分包括绕口令、韵语、唐诗以及一些参与性很强的课堂游戏。

图说汉字：为了让学生对汉字和汉字文化有一个感性认识，我们在每单元安排了一个写汉字的环节。

中国歌曲：为了活跃课堂气氛，我们选编了两首非常好听的中国歌曲。您可以在合适的时候安排学生学唱。

教材中的特色练习

看图学词语：为体现短期班教学的特点，我们在每单元开设了看图学词语的内容，以扩大学生的词汇量。

双人练习：此练习让学生和同伴根据具体的任务要求交换真实信息，目的是在实践的过程中，提高学生运用汉语的能力，让他们体验到用汉语进行交际的乐趣。为了顺利完成交际任务，每次练习之前配有相应的词语准备。

你也能说：这个练习旨在训练学生成段表达的能力，使学生在主课文中所学知识得以巩固和运用。

希望您能喜欢这本书，也希望您对本书提出批评和建议。欢迎您随时和我们联系。

本教材由英国专家Magnus Wilson和美国专家Erin Harper认真审核。高等教育出版社的编辑们在整套教材的策划、编写、版式设计、题图设计、插图选配等方面做了大量工作。在此，编者一并表示感谢。

您的朋友：田艳、陈作宏

2005 年 7 月

Dear students,

As the authors of the book, we welcome you to experience Chinese. In order to help you better understand the material, we would like to give you a brief introduction to this textbook.

Sentences are key sentences used for understanding and accomplishing the set tasks. They are short, easy, and deliberately chosen for the task situations. Therefore, you should memorize the sentences and their usage in different situations.

While the *Scenes* are short, the exercises are designed to be rich, useful and essential in daily usage.

Learn and Use provides useful expressions in colloquial Chinese that you may come across in China.

The *Activities* provide opportunities for frequent communication between you and your partners. Therefore, you will not only share your thoughts and experiences but also experience the pleasure of speaking Chinese. We believe that your Chinese speaking ability will be enhanced with practice in these real-life situations. Try to use new words and longer sentences while speaking, and also try to help your partners understand you as much as possible.

Chinese Pictographs is designed to enable you to appreciate the beauty of Chinese characters.

Practice makes perfect. Therefore, you are encouraged to seize every opportunity to speak Chinese. Please bear in mind that once you can communicate with others, your confidence and satisfaction will be greatly enhanced. Your Chinese will improve quickly in this way. You will soon be surprised at how capable you are of speaking Chinese language and understanding Chinese culture.

We sincerely hope that this book will help you to learn Chinese and improve your level speaking. We believe you can make it!

Good luck!

Best regards,
Tian Yan
Chen Zuohong

课堂用语
Classroom Expressions

xiàn zài shàng kè
现 在 上 课。It is time for class now.

xiū xi xiū xi
休 息 休 息。Let's have a break now.

xià kè
下 课。Class is over.

dǎ kāi shū fān dào dì _____ yè
打 开 书，翻 到 第___页。
Open your textbook, turn to page ...

qǐng gēn wǒ niàn
请 跟 我 念。Read after me please.

hé shàng shū
合 上 书。Close the book.

dà diǎnr shēng
大 点 儿 声。Read aloud.

zài shuō yí biàn
再 说 一 遍。Once again please.

qǐng nǐ dú yí biàn
请 你 读 一 遍。Please read it.

qǐng nǐ huí dá
请 你 回 答。Please answer the question.

qǐng kàn hēi bǎn
请 看 黑 板。
Look at the blackboard please.

hěn hǎo
很 好。Very good.

duì le
对 了。That's correct.

cuò le
错 了。That's wrong.

xiàn zài zuò liàn xí
现 在 做 练 习。
Let's do the exercises now.

Wang Yu
wáng yǔ
王 雨

David
dà wèi
大 卫

Martin
mǎ dīng
马 丁

Waitress
fú wù yuán
服 务 员

Miss Jones
qióng sī
琼 斯

目 录 CONTENTS

yǔ yīn xùn liàn yíng

语 音 训 练 营
Pronunciation Camp

目 标	Objectives

- 学会汉语拼音的声母、韵母和五个声调 Learn initials, finals and tones of Chinese *pinyin*
- 声母韵母表和声调图 Table of initials and finals & diagram of tones
- 基本的拼读和声调练习 Basic pronunciation and tone drills

In Chinese, each syllable is composed of an initial, a final and a tone. An initial combines with a final to form a syllable, which is to be pronounced in certain tone. If you want to learn to speak Chinese, you should learn the initials, the finals and the tones first.

Chinese pinyin can help you master the above 3 in a short time. Now, let's learn pinyin together!

❶ Initials and Finals

Formula for Chinese Phonetic Transcription (*Pinyin*)

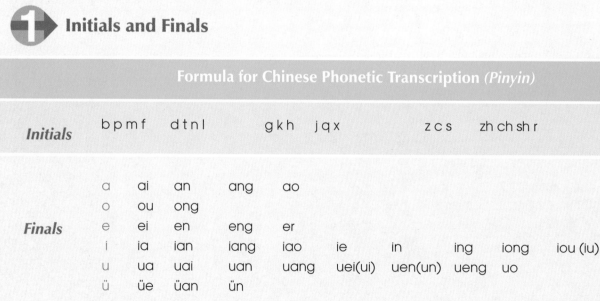

Initials	b p m f	d t n l	g k h	j q x	z c s	zh ch sh r

Finals								
a	ai	an	ang	ao				
o	ou	ong						
e	ei	en	eng	er				
i	ia	ian	iang	iao	ie	in	ing	iong	iou (iu)
u	ua	uai	uan	uang	uei(ui)	uen(un)	ueng	uo
ü	üe	üan	ün					

拼读练习 Pronunciation Drills

1. 主要单韵母 The Mono Finals

ba	pa	ma	fa		da	ta	na	la		ga	ka	ha
bo	po	mo	fo		de	te	ne	le		ge	ke	he
bu	pu	mu	fu		du	tu	nu	lu				
bi	pi	mi			di	ti	ni	li		nü	lü	

2. 复韵母 The Compound Finals

gai	gei	gao	gou	gua		guo	guai	gui
kai	kei	kao	kou	kua		kuo	kuai	kui
hai	hei	hao	hou	hua		huo	huai	hui
lia	lie	liao	liu			nie	niao	niu		nüe	lüe

3. 鼻韵母 The Finals with Nasal Endings

ban	ben	bang	beng		pan	pen	pang	peng
man	men	mang	meng		fan	fen	fang	feng
dan	dang	deng	dong		tan	tang	teng	tong
nan	nang	neng	nong		lan	lang	leng	long	luan	nuan

| bin | bing | | pin | ping | | min | ming | | lin | ling | | nin | ning |

4. 声母 j, q, x The Initials: j, q, x

| ji | qi | xi | | jü | qü | xü | | jüe | qüe | xüe |
| jin | jing | | jian | jiang | | qian | qiang | | xian | xiang |

5. 声母 z, c, s; zh, ch, sh, r The Initials: z, c, s; zh, ch, sh, r

zi	ci	si		zhi	chi	shi	ri
ze	ce	se		zhe	che	she	re
zan	can	san		zhan	chan	shan	ran
zong	cong	song		zhang	chang	shang	rang

6. y, w The Initials: y and w

| yi | wu | yu | | wa | wo | wai | wei | | wan | wen | wang | weng |
| yin | ying | yan | yang | | yun | yuan | yong |

语音训练营 ▶▶▶

② Tones

There are 5 tones in Chinese Putonghua, 4 basic tones and 1 neutral tone. In the pinyin system, they are indicated by tone graphs. Namely, ˉ (the first tone), ′ (the second tone), ˇ (the third tone) and ` (the fourth tone) and the neutral tone which is not marked. The tones are used to distinguish meanings. That is to say, syllables that are identical in initials and finals but different in tones can bear different meanings. For example, mā means "mother" while mǎ means "horse".

To pronounce tones correctly is very important. Otherwise it will be quite difficult for others to understand you. Now, please look at the diagram of tones thoroughly and carefully and take time to practice with your teacher.

Diagram of tones

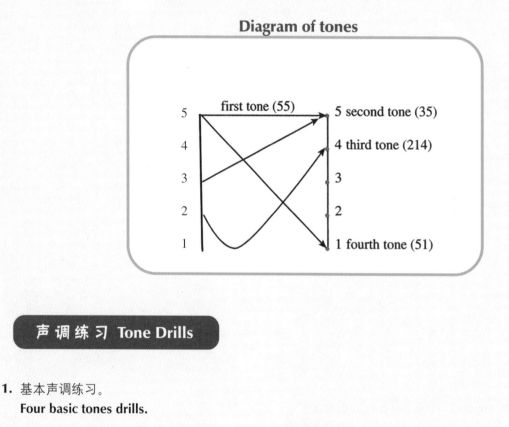

声调练习 Tone Drills

1. 基本声调练习。

Four basic tones drills.

bā	bá	bǎ	bà	——	bàba	*father*
mā	má	mǎ	mà	——	māma	*mother*
hāo	háo	hǎo	hào	——	hǎo	*good*

2. 当两个第三声汉字相连时，第一个字的声调变为第二声。如 nǐhǎo → níhǎo。请跟着老师朗读。

When there are two consecutive third-tone characters (syllables) together, the first should be pronounced with the second tone while the tone of the second character (syllable) stays unchanged. For example: nǐhǎo → níhǎo. **Please read the following words aloud after your teacher.**

nǐhǎo   hěnhǎo   wǒzǒu   suǒyǒu   suǒyǐ

3. 第三声的字在第一、二、四声和轻声前面时要变成"半三声"。也就是只读第三声前半段的降调部分。如：

měiguǒ → měiguǒ。请跟着老师朗读。

When a character (syllable) in the third tone precedes one in the first, second, fourth or neutral tones, it is pronounced in the "half" third tone, that is, the tone only falls (a little like a shortened fourth tone) and doesn't rise. For example: měiguǒ →měiguǒ. **Please read the following words aloud after your teacher.**

kǎoyā	wǒjiā	měiguó	fǎguó
hěnlèi	wǒshì	jiějie	wǒde

4. 轻声要读得又轻又短。请跟着老师朗读。

The neutral tone is very light and short. Please read the following words aloud after your teacher.

māma	gēge	míngzi	shénme
hǎoma	nǐne	shìma	lèile

5. 朗读定调练习。

Read the syllables and pay attention to the tones.

dōushuō	háishuō	yěshuō	zàishuō	shuōde
dōulái	háilái	yělái	zàilái	láide
dōuzǒu	háizǒu	yězǒu	zàizǒu	zǒude
dōuhuì	háihuì	yěhuì	zàihuì	huìde

nǐ hǎo
你 好 Hello

目 标 Objectives

- 学会打招呼的常用表达方式 Learn the most commonly used greetings
- 学会说自己的名字和国籍 Learn how to give one's name and nationality
- 学会数字 1~10 Learn the numbers 1 to 10

词 语 Words and Phrases

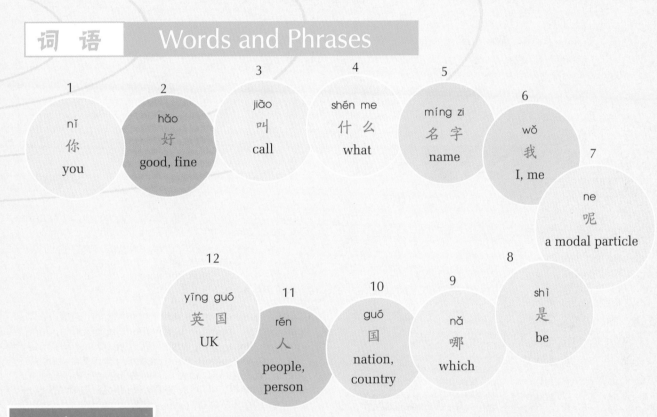

1
nǐ
你
you

2
hǎo
好
good, fine

3
jiào
叫
call

4
shén me
什么
what

5
míng zi
名字
name

6
wǒ
我
I, me

7
ne
呢
a modal particle

8
shì
是
be

9
nǎ
哪
which

10
guó
国
nation, country

11
rén
人
people, person

12
yīng guó
英国
UK

Numbers (1)

1	2	3	4	5
yī	èr	sān	sì	wǔ
一	二	三	四	五
6	7	8	9	10
liù	qī	bā	jiǔ	shí
六	七	八	九	十

你好 ▶▶▶▶

句子　Sentences

1. Hello!
2. What's your surname, please?
3. What's your name, please?
4. Please call me Martin, what's your name, please?
5. What country are you from?
6. I am British.

nǐ hǎo
1. 你 好!

nǐ guì xìng
2. 你 贵 姓?

nǐ jiào shén me míng zi
3. 你 叫 什 么 名 字?

wǒ jiào mǎ dīng nǐ ne
4. 我 叫 马 丁, 你 呢?

nǐ shì nǎ guó rén
5. 你 是 哪 国 人?

wǒ shì yīng guó rén
6. 我 是 英 国 人。

情景　Scene

wáng yǔ nǐ hǎo
王 雨: 你 好!

mǎ dīng nǐ hǎo
马 丁: 你 好!

wáng yǔ nǐ guì xìng nǐ jiào shén me míng zi
王 雨: 你 贵 姓¹? 你 叫 什 么 名 字²?

mǎ dīng wǒ jiào Mǎ dīng nǐ ne
马 丁: 我 叫 马 丁。你 呢³?

wáng yǔ wǒ jiào wáng yǔ nǐ shì nǎ guó rén
王 雨: 我 叫 王 雨⁴。你 是 哪 国 人?

mǎ dīng wǒ shì yīng guó rén
马 丁: 我 是 英 国 人。

1 "贵姓" is a polite and respectful way of asking someone's name. The answer is "我姓…".

2 In Chinese, the word order of a question is the same as the statement, unlike the English grammar. When a statement is changed into a question, the questioned part ought to be replaced with an interrogative word, i.e. which. The word order remains the same. The question form of the statement "我是英国人" is "你是哪国人?"

3 "你呢" means "What's your name?" in this sentence. The particle "呢" can follow a noun or a pronoun to form a question similar to the English "And you?" The meaning of this question depends on the preceding part of the sentence. E.g. in "我是英国人,你呢?" "你呢" means "What country are you from?" and in "我要学汉语,你呢?" "你呢" means "Do you want to study Chinese?".

4 Chinese people put their surnames (family names) before their given names. When giving their names to others, Chinese people generally give their full names: surnames, and then given names.

Wang Yu: Hello!

Martin: Hello!

Wang Yu: What's your name, please?

Martin: Please call me Matin, what's your name, please?

Wang Yu: I'm Wang Yu. What country are you from?

Martin: I am British.

即学即用   Learn and Use

Zàijiàn!
Good bye!

Xièxie!
Thanks!

Bú kèqi!
You are welcome!

A

B

活 动   Activities

语音练习
Pronunciation

朗读词语。
Read Aloud.

nǐ	wǒ	hǎo	jiào
你	我	好	叫

rén	shén me	míng zi	nǎ guó
人	什 么	名 字	哪 国

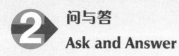

② 问与答
Ask and Answer

根据"情景"选择合适的句子填空。
Fill in the table according to the "Scene".

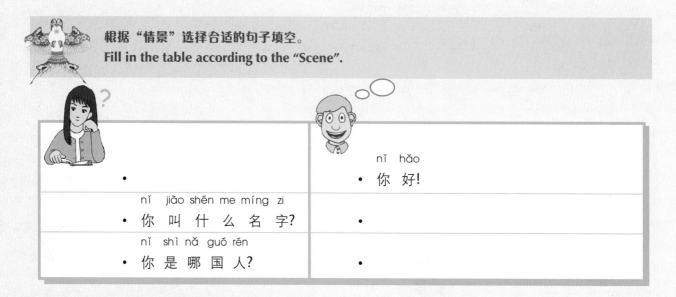

	nǐ hǎo • 你 好!
nǐ jiào shén me míng zi • 你 叫 什 么 名 字?	•
nǐ shì nǎ guó rén • 你 是 哪 国 人?	•

③ 看图学词
Look and Learn Words

Rìběn
Japan

Yīngguó
UK

Fǎguó
France

Měiguó
America

Xī'ān
Xi'an

Lāsà
Lhasa

Běijīng
Beijing

Shànghǎi
Shanghai

4 双人练习
Pair Work

 询问同伴情况，完成下列表格。
Interview your partner and fill in the table.

		Yourself	Your partner
Name	Mǎdīng		
Nationality	Yīngguó rén		

5 你也能说
You Can Say It Too

先看看马丁是怎么介绍自己和王雨的，你也试着说一说。
First look at how Martin introduces himself and Wang Yu, and then try to introduce yourself.

Nǐ hǎo, wǒ jiào Mǎdīng, wǒ shì Yīngguó rén. Tā (he) jiào Wáng Yǔ, tā shì Zhōngguó rén (Chinese).

6 游戏
Games

 绕口令。
Tongue twister.

yī shì yī
一 是 一,　　　　　One is one,
sì shì sì
四 是 四,　　　　　Four is four,
shí yī shì shí yī
十 一 是 十 一,　　Eleven is eleven,
sì shí shì sì shí
四 十 是 四 十。　　Forty is forty.

7 图说汉字
Chinese Pictographs

人 human being, people

最初的 "人" 是一个侧立的人形,后来字形有了演变,突出了人的两条腿,两条腿共同支撑着身体。
Originally the character "人" was the profile of a person. Gradually it evolved into the current shape, emphasizing the two legs. The two legs hold the person up.

大 big, large

在古人的心目中,人是万物的主宰。你看,"大"字像不像一个顶天立地的人呢?
In ancient people's eyes, human beings dominated the earth and were regarded as the greatest. Doesn't "大" look like a mighty man touching the skyline?

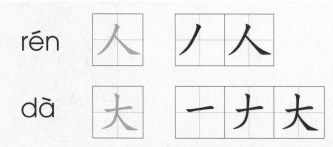

wǒ shì liú xüé shēng

我 是 留 学 生

I am an overseas student

目 标　Objectives

- 认识新朋友　Get to know new friends
- 学会说明住处　Learn to tell your address
- 学习数字11~20　Learn the numbers 11 to 20

词 语　Words and Phrases

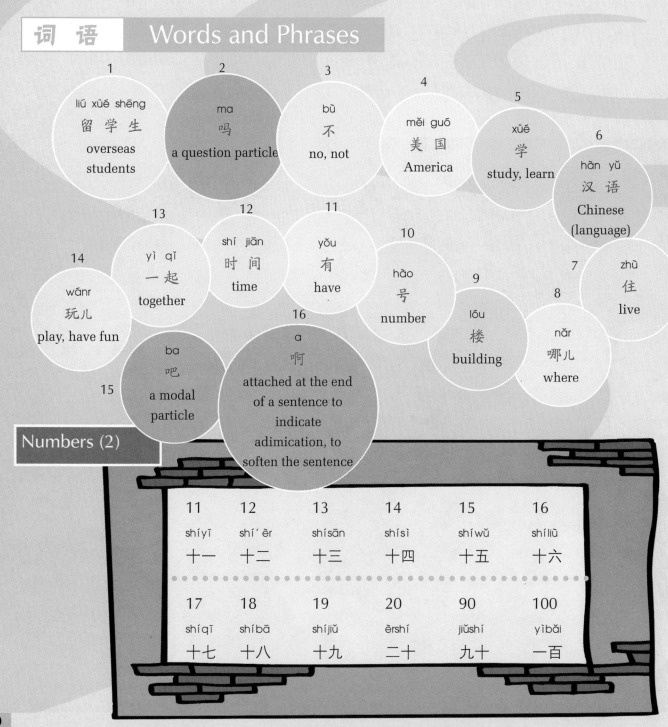

1
liú xué shēng
留学生
overseas
students

2
ma
吗
a question particle

3
bù
不
no, not

4
měi guó
美国
America

5
xué
学
study, learn

6
hàn yǔ
汉语
Chinese
(language)

7
zhù
住
live

8
nǎr
哪儿
where

9
lóu
楼
building

10
hào
号
number

11
yǒu
有
have

12
shí jiān
时间
time

13
yì qǐ
一起
together

14
wánr
玩儿
play, have fun

15
ba
吧
a modal
particle

16
a
啊
attached at the end
of a sentence to
indicate
adimication, to
soften the sentence

Numbers (2)

11	12	13	14	15	16
shíyī	shí'èr	shísān	shísì	shíwǔ	shíliù
十一	十二	十三	十四	十五	十六

17	18	19	20	90	100
shíqī	shíbā	shíjiǔ	èrshí	jiǔshí	yìbǎi
十七	十八	十九	二十	九十	一百

句子 Sentences

1. I'm an overseas student.
2. I study Chinese Language.
3. Where do you live?
4. I live in the Overseas Students Building.
5. When we have time, let's go and have fun.

wǒ shì liú xué shēng
1. 我 是 留学生。

wǒ xué hàn yǔ
2. 我学汉语。

wǒ zhù liú xué shēng lóu
4. 我 住 留 学 生 楼。

nǐ zhù nǎr
3. 你住 哪儿?

yǒu shí jiān yì qǐ wánr ba
5. 有 时 间 一 起 玩儿 吧。

情景 Scene

dà wèi   nǐ hǎo wǒ jiào dà wèi
大卫: 你好! 我叫大卫。

wáng yǔ   nǐ shì Yīng guó liú xué shēng ma
王雨: 你是英国留学生 吗⁵?

dà wèi   bú shì   wǒ shì měi guó liú xué shēng
大卫: 不⁶ 是, 我是美国留学生。

wáng yǔ   nǐ xué shén me
王雨: 你学什么?

dà wèi   wǒ xué hàn yǔ
大卫: 我学汉语。

wáng yǔ   nǐ zhù nǎr
王雨: 你住 哪儿⁷?

dà wèi   wǒ zhù liú xué shēng lóu sān yāo yāo nǐ ne
大卫: 我 住 留 学 生 楼 3 1 1⁸, 你呢?

wáng yǔ   wǒ zhù sān hào lóu wǔ líng èr
王雨: 我住3号楼 5 0 2。

dà wèi   yǒu shí jiān yì qǐ wánr ba
大卫: 有 时 间 一 起 玩儿 吧。

wáng yǔ   hǎo a
王雨: 好 啊!

5 Adding "吗" at the end of a declarative sentence forms a question. The answer to an interrogative sentence consists of the positive or negative form of verbs or adjectives in the interrogative sentence. Use the predicate (verbs or adjectives) of the interrogative sentence to answer the question. E.g. the answer to "你们下午上课吗?" is "上课" or "不上课".

6 "不" is pronounced with the fourth tone (bù) before a syllable of the first, second or third tone. It is pronounced with the second tone (bú) before a syllable of the fourth tone.

7 There are many words with retroflex endings in Chinese. Don't pronounce "儿" as an independent syllable, rather roll the previous syallable and the "儿" syallable together, while raising your tongue slightly. E.g. "门口儿" Should be pronounced as "mén kǒur" rather than "mén kǒu ér".

8 The numeral "1" is often pronounced as "yāo" rather than "yī" in telephone numbers, bus numbers and room numbers etc. in order to distinguish "yī(1)" from "qī(7)". E.g. room 413 is read aloud as "sì yāo sān".

David: Hello! I am David.

Wang Yu: Are you a British student?

David: No, I am an American student.

Wang Yu: What do you study?

David: I study Chinese language.

Wang Yu: Where do you live?

David: I live in the Overseas Students Building, Room 311, how about you?

Wang Yu: I live in Building 3, Room 520.

David: When we have time, let's go and have fun.

Wang Yu: Alright!

即学即用 Learn and Use

Méi guānxi. No problem.

Duìbuqǐ. Sorry.

活 动 Activities

1 语音练习
Pronunciation

朗读词语。
Read aloud.

liú xué shēng	sān hào lóu	hàn yǔ	shí jiān
留学生	三号楼	汉语	时间

wánr	zhù	shì	
玩儿	住	是	

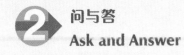 问与答
Ask and Answer

根据"情景"选择合适的句子填空。
Fill in the table according to the "Scene".

nǐ shì yīng guó liú xūé shēng ma • 你 是 英 国 留 学 生 吗?	•
nǐ xūé shén me • 你 学 什 么?	•
•	wǒ zhù liú xūé shēng lóu sān yāo yāo • 我 住 留 学 生 楼 3 1 1。

3 看图学词
Look and Learn Words

tóngxūé
classmate

péngyou
friend

lǎoshī
teacher

4 双人练习
Pair Work

 询问同伴情况，完成下列表格。
Interview your partner and fill in the table.

				Youself	Your partner
Nationality	Yīngguó rén				
Identity	xüésheng				
Dormitory	sānyāoèr				

5 你也能说
You Can Say It Too

 熟读琼斯的介绍，说说你自己的情况。
Please read Miss Jones' introduction first and then introduce yourself in the same manner.

> Wǒ shì Yīngguó liúxüéshēng Qióngsī. Wǒ zhù sān yāo yāo fángjiān. Wǒ xüéxí Hànyǔ. Mǎdīng shì wǒ de tōngxué (classmate), yě (too) shì wǒ de péngyou (friend). Tā yě xüéxí Hànyǔ.

6 游戏
Games

韵语。
Rhyme.

xī guā dà
西 瓜 大，　　　　　The watermelon is big,

xī guā yuán
西 瓜 圆，　　　　　The watermelon is round,

xià tiān de xī guā xiāng yòu tián
夏 天 的 西 瓜 香 又 甜。　In summer the watermelons are tasty and sweet.

7 图说汉字
Chinese Pictographs

男 man, male

中国古代是农业社会，男人是主要的劳动力。"男"字上部是"田"，表示田地，下部是"力"，是古代的一种农具，后来表示力量。"男"由"田"和"力"组成，表示男人是在田里耕种的人。现在社会变了，但是这个字的本意却清晰地留存了下来。你看，从一个字里还可以看出社会分工呢!

Ancient China was an agricultural society, in which men were the main labor force. The upper part of "男" is "田", meaning field, and the lower part is "力", an ancient working tool which indicates power and strength. The composition of "男" shows that men were the people working in the fields. Now society has changed, but the original meaning of "男" has been preserved. You see, from a Chinese character we can tell the division of labor in society.

田

男

男

男

nán 男　｜ 冂 冋 田 田 甼 男

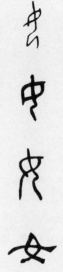

女 woman, female

"女"字像不像一双手温柔地放在前边席地而坐的安静的女人?

With two hands folding on her bosom, a woman is tenderly kneeling on a mat. Can't you see such a woman in the character of "女"?

nǚ

xiàn zài jǐ diǎn
现在几点

What time is it now

现在几点 ▶▶▶▶

目标 Objectives

- 学会最基本的时间表达方式 Learn the basic way to tell the time
- 说明每天的计划 Learn to talk about your daily schedules

词语 Words and Phrases

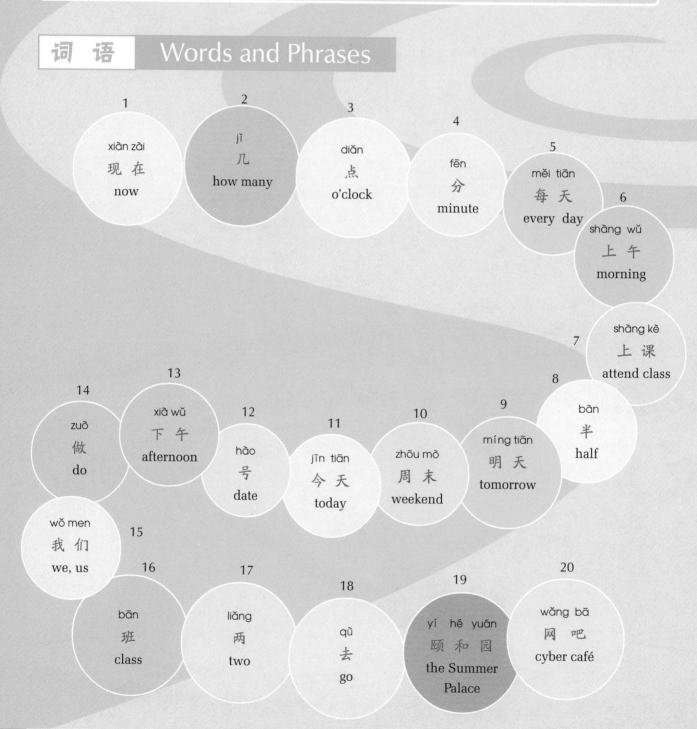

1. xiàn zài 现在 now
2. jǐ 几 how many
3. diǎn 点 o'clock
4. fēn 分 minute
5. měi tiān 每天 every day
6. shàng wǔ 上午 morning
7. shàng kè 上课 attend class
8. bàn 半 half
9. míng tiān 明天 tomorrow
10. zhōu mò 周末 weekend
11. jīn tiān 今天 today
12. hào 号 date
13. xià wǔ 下午 afternoon
14. zuò 做 do
15. wǒ men 我们 we, us
16. bān 班 class
17. liǎng 两 two
18. qù 去 go
19. yí hé yuán 颐和园 the Summer Palace
20. wǎng bā 网吧 cyber café

句子 Sentences

1. What time is it now?
2. I have classes at half past eight.
3. We don't have classes on weekends.
4. It's the 8th today.
5. Our class is going to to the Summer Palace this afternoon.

xiàn zài jǐ diǎn
1. 现 在 几 点？

jīn tiān bā hào
4. 今 天 八 号。

wǒ bā diǎn bàn shàng kè
2. 我 八 点 半 上 课。

wǒ men bān liǎng diǎn qù yí hé yuán
5. 我 们 班 两 点 去 颐 和 园。

zhōu mò bú shàng kè
3. 周 末 不 上 课。

情景 Scene

Part 1

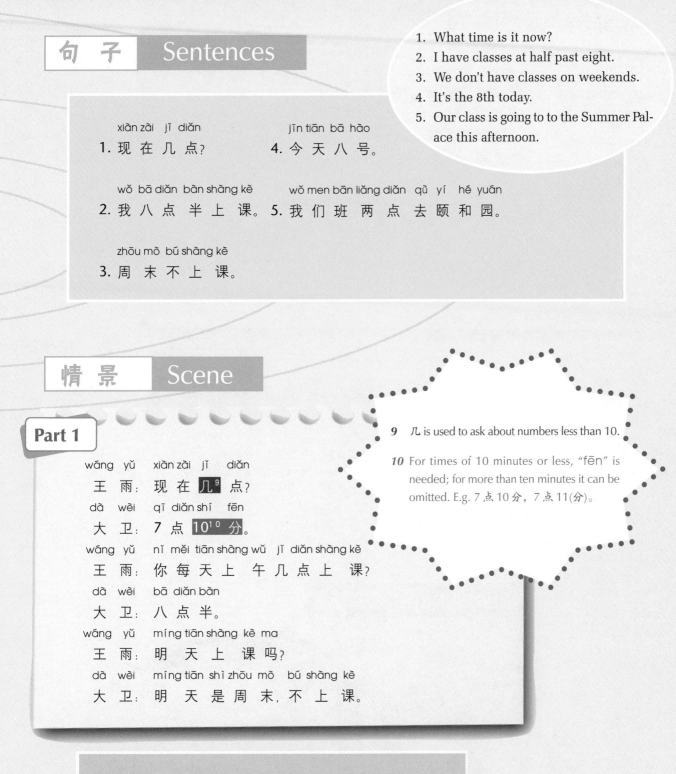

wáng yǔ   xiàn zài jǐ diǎn
王 雨： 现 在 几⁹ 点？

dà wèi   qī diǎn shí fēn
大 卫： 7 点 10¹⁰ 分。

wáng yǔ   nǐ měi tiān shàng wǔ jǐ diǎn shàng kè
王 雨： 你 每 天 上 午 几 点 上 课？

dà wèi   bā diǎn bàn
大 卫： 八 点 半。

wáng yǔ   míng tiān shàng kè ma
王 雨： 明 天 上 课 吗？

dà wèi   míng tiān shì zhōu mò bú shàng kè
大 卫： 明 天 是 周 末，不 上 课。

9 几 is used to ask about numbers less than 10.

10 For times of 10 minutes or less, "fēn" is needed; for more than ten minutes it can be omitted. E.g. 7 点 10 分，7 点 11(分)。

Wang Yu: What time is it now?
David: It's ten past seven.
Wang Yu: When do you have classes every morning?
David: Half past eight.
Wang Yu: Do you have classes tomorrow?
David: Tomorrow is the weekend, we don't have class.

Part 2

wáng yǔ　jīn tiān jǐ hào
王 雨：今 天 几 号？

dà wèi　bā hào
大 卫：八 号。

wáng yǔ　jīn tiān xià wǔ nǐ zuò shén me
王 雨：今 天 下 午 你 做 什 么？

dà wèi　wǒ men bān liǎng diǎn qù yí hé yuán nǐ ne
大 卫：我 们 班 两 点 去 颐 和 园。你 呢？

wáng yǔ　wǒ qù wǎng bā
王 雨：我 去 网 吧。

Wang Yu:　What's the date today?
David:　The 8th.
Wang Yu:　What are you going to do this afternoon?
David:　Our class is going to the Summer Palace, how about you?
Wang Yu:　I am going to the cyber café.

即学即用　Learn and Use

Màn diǎnr!
Slow down!

活 动　Activities

① 语音练习
Pronunciation

朗读词语。
Read aloud.

xiàn zài	měi tiān	jīn tiān	míng tiān	shàng wǔ	xià wǔ
现 在	每 天	今 天	明 天	上 午	下 午

zhōu mò	wǔ diǎn shí fēn	liù diǎn èr shí(fēn)	qī diǎn bàn	liǎng diǎn sān shí(fēn)
周 末	5 点 10 分	6 点 20（分）	7 点 半	2 点 30（分）

② 问与答
Ask and Answer

根据"情景"选择合适的句子填空。
Fill in the table according to the "Scene".

	xiàn zài qī diǎn
•	• 现 在 7 点。
jīn tiān jǐ hào	
• 今 天 几 号?	•
	wǒ men bā diǎn bàn shàng kè
•	• 我 们 8 点 半 上 课。
	wǒ men bān xià wǔ qù yí hé yuán
•	• 我 们 班 下 午 去 颐 和 园。

3 看图学词
Look and Learn Words

Xīngqīyī	Xīngqī'èr	Xīngqīsān	Xīngqīsì	Xīngqīwǔ	Xīngqīliù	Xīngqīrì
Mon	Tue	Wed	Thu	Fri	Sat	Sun
	14			17		19
			zuótiān	jīntiān	míngtiān	
			yesterday	today	tomorrow	

xiūxi
take a rest

qǐchuáng
get up

4 扩展练习
Extension

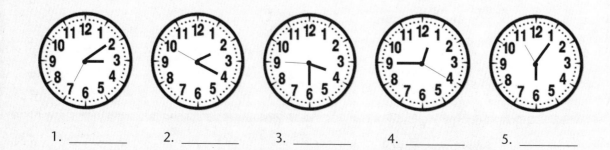

根据图中的钟表，说出时间并填空。
Read the times out according to the clocks below and then fill in the blanks.

1. _____   2. _____   3. _____   4. _____   5. _____

根据表格的内容回答老师的提问。

Please answer the questions.

Xīngqīyī Mon	Xīngqī'èr Tue	Xīngqīsān Wed	Xīngqīsì Thu	Xīngqīwǔ Fri	Xīngqīliù Sat	Xīngqīrì Sun
15	16	17	18	19	20	21
shàngkè	shàngkè today	shàngkè	shàngkè	qù wǎngbā	qù Yíhéyuán	qù wǎngbā

1. Jīntiān jǐ hào?
2. Jīntiān xīngqī jǐ?
3. Jīntiān nǐ zuò shénme?   (What are you going to do today?)
4. Míngtiān jǐ hào?
5. Míngtiān xīngqī jǐ?
6. Míngtiān nǐ zuò shénme?   (What are you going to do tommorrow?)

 你也能说

You Can Say It Too

 下面是大卫一天的安排，熟读这段话，说说你自己的情况。

The following is David's schedule today; please read it and then give yours.

Jīntiān shì bā hào, xīngqīyī, wǒ zǎoshang (morning) qī diǎn qǐchuáng (get up), shàngwǔ bā diǎn bàn shàngkè, xiàwǔ wǒ qù dàshǐguǎn (embassy), wǒ de péngyou qù wǎngbā.

6 游戏
Games

 韵语。
Rhyme.

hóng qì qiú
红 气 球,　　　　　　Red balloon,
lán qì qiú
蓝 气 球,　　　　　　Blue balloon,
hóng lán qì qiú tiān shàng yóu
红 蓝 气 球 天 上 游。Red balloons and blue balloons are floating in the sky.

7 图说汉字
Chinese Pictographs

日 sun, day
"日"是模仿太阳的形状造的字,中间的一横表示日光。不过现在这个"日"是方形的了。
The character for "日" was originally based on the shape of the sun, the line in the middle represented light. However, the modern shape of the character has become square.

月 moon, month
"日"和"月"都是宇宙中圆形的天体,可是古人观察到,太阳永远是圆的,而月亮却时圆时缺,所以古人就用一个缺月的样子造了这个汉字。
Both the sun and moon are round shaped, but ancient Chinese found that although the sun was always round, the moon mostly appeared as a crescent in the sky, so they originally made the character "月" a crescent.

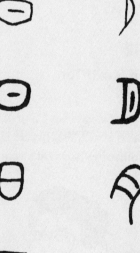

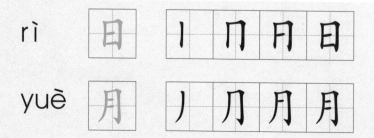

yí gòng duō shao qián

一共多少钱

How much is that altogether

一共多少钱 ▶▶▶▶

- 学习钱币的表达法 **Learn to talk about money**
- 学会问商品的价格 **Learn how to ask the price**

词 语 **Words and Phrases**

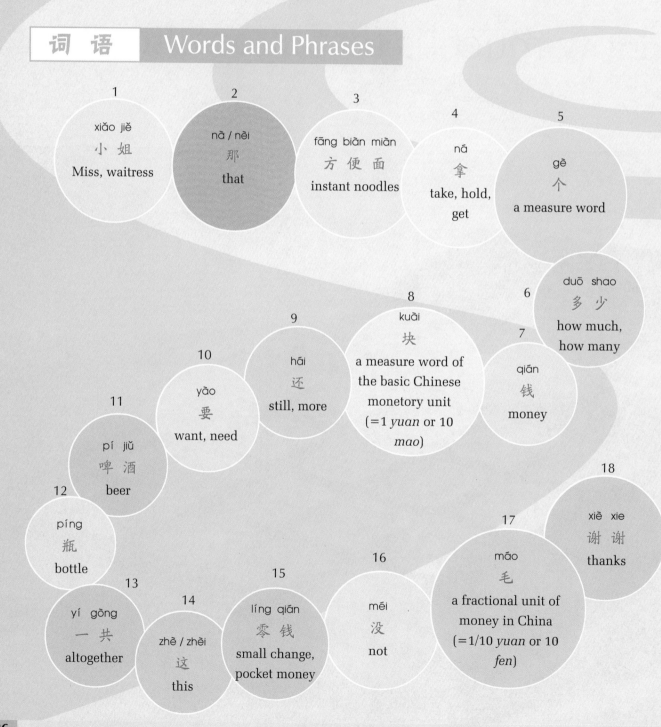

1
xiǎo jiě
小 姐
Miss, waitress

2
nǎ / nèi
那
that

3
fāng biàn miàn
方 便 面
instant noodles

4
ná
拿
take, hold, get

5
gè
个
a measure word

6
duō shao
多 少
how much, how many

7
qián
钱
money

8
kuài
块
a measure word of the basic Chinese monetory unit (=1 *yuan* or 10 *mao*)

9
hái
还
still, more

10
yào
要
want, need

11
pí jiǔ
啤 酒
beer

12
píng
瓶
bottle

13
yí gòng
一 共
altogether

14
zhè / zhèi
这
this

15
líng qián
零 钱
small change, pocket money

16
méi
没
not

17
máo
毛
a fractional unit of money in China (=1/10 *yuan* or 10 *fen*)

18
xiè xie
谢 谢
thanks

句子　Sentences

nǎ shì shén me
1. 那是什么?

nǎ yí ge fāng biàn miàn
2. 拿一个方便面。

hái yào shén me
3. 还要什么?

pí jiǔ duō shao qián yì píng
4. 啤酒多少钱一瓶?

wǒ méi yǒu líng qián
5. 我没有零钱。

1. What's that?
2. Bring me a pack of instant noodles.
3. What else do you want?
4. How much does a bottle of beer cost?
5. I have no small change.

情景　Scene

mǎ dīng xiǎo jiě nǎ shì shén me
马丁: 小姐,那是什么?

fú wù yuán nà shì fāng biàn miàn
服务员: 那是方便面。

mǎ dīng ná yí ge fāng biàn miàn duō shao qián
马丁: 拿一个[11]方便面。多少钱?

fú wù yuán sān kuài wǔ hái yào shén me
服务员: 三块[12]五。还要什么?

mǎ dīng pí jiǔ duō shao qián yì píng
马丁: 啤酒多少钱一瓶?

fú wù yuán sān kuài
服务员: 三块。

mǎ dīng yào liǎng píng yí gòng duō shao qián
马丁: 要两[13]瓶。一共多少钱?

fú wù yuán yí gòng jiǔ kuài wǔ
服务员: 一共九块五。

mǎ dīng zhè shì shí kuài
马丁: 这是十块。

fú wù yuán yǒu líng qián ma
服务员: 有零钱吗?

mǎ dīng méi yǒu
马丁: 没有。

fú wù yuán zhè shì wǔ máo
服务员: 这是五毛。

mǎ dīng xiè xie
马丁: 谢谢。

11 "一" is pronounced in the fourth tone (yī) before a syllable in the first, second or third tone, while it is pronounced in the second tone (yí) before a syllable in the fourth tone or a syllable in some neutral tones. For example: "yì tiān" (one day), "yì nián" (one year), "yìzhǒng" (one kind) and "yí cì" (one time).

12 People usually say kuǎi instead of yuán. In spoken Chinese, kuǎi is used more often than yuán while yuán is usually used on price tags.

13 In this context, "2" cannot be expressed as "èr". Remember when the number "2" is followed by a measure word, it can only expressed as "liǎng". For example: 两杯水、两个人。

Martin:	Miss, what's that?
Shop assistant:	Instant noodles.
Martin:	Please give me one. How much?
Shop assistant:	Three and half *kuai*. What else do you want?
Martin:	How much is one bottle of beer?
Shop assistant:	Three *kuai*.
Martin:	I'll have two bottles. How much altogether?
Shop assistant:	Nine *kuai* and five *mao*.
Martin:	Here is ten *kuai*.
Shop assistant:	Do you have small change?
Martin:	No.
Shop assistant:	Here is five *mao*.
Martin:	Thanks.

即学即用 Learn and Use

Tài guì le!
Too expensive.

活 动　Activities

1 语音练习
Pronunciation

朗读词语。
Read aloud.

yì máo	liǎng máo	sān máo wǔ	bā máo sì
1毛 (0.10块)	2毛 (0.20块)	3毛5 (0.35块)	8毛4 (0.84块)

yí kuài	liǎng kuài	sān kuài èr	sì kuài sān	wǔ kuài sì
1.00块	2.00块	3.20块	4.30块	5.40块

jiǔ kuài líng bā fēn	wǔ kuài líng liù fēn	shí kuài yī máo èr	bā kuài wǔ máo sān
9.08块	5.06块	10.12块	8.53块

èr shí kuài	sān shí bā kuài	wǔ shí wǔ kuài	jiǔ shí liù kuài
20块	38块	55块	96块

Yì bǎi èr shí wǔ kuài	yì bǎi líng èr kuài	èr bǎi yī shí kuài	sān bǎi yī shí wǔ kuài
125块	102块	210块	315块

2 问与答
Ask and Answer

根据"情景"选择合适的句子填空。
Fill in the table according to the "Scene".

nǎ shì shén me • 那是什么？	•
•	yí gòng jiǔ kuài wǔ • 一共九块五。
pí jiǔ duō shao qián yì píng • 啤酒多少钱一瓶？	•
yǒu líng qián ma • 有零钱吗？	•

3 看图学词
Look and Learn Words

píngguǒ
apple

hànbǎobāo
hamburger

pútao
grape

xīguā
watermelon

kāfēi
coffee

chá
tea

 4 双人练习
Pair Work

根据商品的价格，做买东西的对话练习。
Make a dialogue according to the prices.

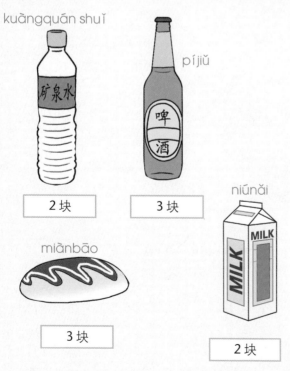

kuàngquán shuǐ

2 块

píjiǔ

3 块

miànbāo

3 块

niúnǎi

2 块

Please use the following patterns:
1. Nǐ mǎi shénme?
   What do you want to buy?
2. Wǒ mǎi...
   I want to buy...
3. Duōshao qián yí gè?
   How much does one cost?
4. Duōshao qián yì píng?
   How much does one bottle cost?

你们都是小卖部的老板。请先给自己的商品定好价钱，然后询问同伴的定价。比较价钱之后，向全班说一说顾客会去谁的商店里买这些东西。

Eash of you owns a small shop. Please set the prices of your commodities, then go to the other "shop" to ask for the prices of the same goods. After comparison, tell the whole class whose shop is more likely to attract customers to buy these commodities.

Commodities	Yourself	Your partner
miànbāo (gè)		
fāngbiànmiàn (gè)		
kuàngquán shuǐ (píng)		
hǎnbǎobāo (gè)		

5 你也能说
You Can Say It Too

下面是马丁买东西的一段经历，熟读这段话，讲一段你自己的故事。
The following is Martin's story about buying food; please read it, and then tell yours.

Wǒ yào qù shāngdiàn mǎi fāngbiànmiàn hé píjiǔ. Fāngbiàn miàn sān kuài wǔ yí gè, hěn guì (expensive), píjiǔ sān kuài qián yì píng, hěn piányi (cheap), wǒ mǎi yí ge fāngbiànmiàn hé liǎng píng píjiǔ, yí gòng jiǔ kuài wǔ.

6 游戏
Games

绕口令。
Tongue Twister.

chī pú tao bù tǔ pú táo pír
吃 葡萄 不 吐 葡萄 皮儿,
You don't spit out grape skin when eating grapes,
bù chī pú tao dào tǔ pú táo pír
不 吃 葡萄 倒 吐 葡萄 皮儿。
but spit out grape skin when not eating them.

7 图说汉字
Chinese Pictographs

山 mountain, hill
最初的"山"是三座山连在一起的样子,后来简化了。写的时候要注意,中间的一竖要高一些。
Originally, the character "山" looked just like three peaks, which were of the same height in oracle bone inscriptions. Gradually the character evolved into the present shape. Don't forget to draw the vertical bar in the middle a bit longer and taller than the other two.

水 water
最初的"水"字,中间的部分表示主流,旁边的几个点表示水花。
Originally, the central part of the character symbolized the main stream and the dots on the sides signified drops of water or waves.

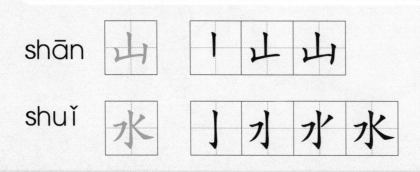

shān 山 丨 屮 山

shuǐ 水 丨 刁 水 水

kǎo yā hěn hǎo chī

烤鸭很好吃

The roast duck is delicious

目标　Objectives

- 学会点菜 Learn how to order food
- 学会点主食 Learn how to order staple foods

词语　Words and Phrases

1
nǐ men
你 们
you

2
chī
吃
eat

3
(yì) diǎnr
（一）点儿
a little bit

4
lái
来
order a dish in a restaurant

5
chǎo yóu cài
炒 油 菜
fried baby boc choi

6
kǎo yā
烤 鸭
roast duck

7
tīng shuō
听 说
hear of, it is said

8
hěn
很
very

9
zhī
只
a measure word for duck, chicken etc.

10
hǎo chī
好 吃
delicious

11
zhǔ shí
主 食
staple food

12
wǎn
碗
bowl; a measure word

13
mǐ fàn
米 饭
cooked rice

14
bié de
别 的
other

句 子　Sentences

nǐ men chī diǎnr shén me
1. 你们吃点儿什么？

lái yí ge chǎo yóu cài
2. 来一个炒油菜。

yǒu kǎo yā ma
3. 有烤鸭吗？

yào shén me zhǔ shí
4. 要什么主食？

hái yào bié de ma
5. 还要别的吗？

1. What would you like to eat?
2. Give us some fried baby boc choi.
3. Do you have roast duck?
4. What kind of staple food would you like?
5. Would you like anything else?

情 景　Scene

fú wù yuán　nǐ men chī diǎnr　shén me
服务员：你们吃点儿¹⁴什么？

wáng yǔ　lái yí ge chǎo yóu cài
王雨：来一个炒油菜。

fú wù yuán　hái yào shén me
服务员：还要什么？

mǎ dīng　yǒu kǎo yā ma
马丁：有烤鸭吗？

fú wù yuán　yǒu
服务员：有。

qióng sī　tīng shuō kǎo yā hěn hǎo chī
琼斯：听说烤鸭很好吃。

wáng yǔ　lái bàn zhī kǎo yā
王雨：来半只烤鸭。

fú wù yuán　hǎo yào shén me zhǔ shí
服务员：好，要什么主食？

mǎ dīng　lái sān wǎn mǐ fàn ba
马丁：来三碗米饭吧。

fú wù yuán　hái yào bié de ma
服务员：还要别的吗？

mǎ dīng　bú yào le xiè xie
马丁：不要了，谢谢。

14 "点儿" is the an abbreviated form of "一点儿", used before a noun, expressing a small and indefinite amount. E.g. 学(一)点儿汉语.

Waitress:	What would you like to eat?
Wang Yu:	Give us some fried baby boc choi.
Waitress:	What else would you like?
Martin:	Do you have roast duck?
Waitress:	Yes.
Jones:	I have heard that roast duck is very delicious.
Wang Yu:	Give us half a roast duck.
Waitress:	Ok, what kind of staple food would you like?
Martin:	Three bowls of rice.
Waitress:	Would you like anything else?
Martin:	No, thanks.

即学即用 Learn and Use

活 动 Activities

1 语音练习
Pronunciation

朗读词语。
Read aloud.

cài	zhǔ shí	mǐ fàn	chǎo yóu cài	kǎo yā
菜	主 食	米 饭	炒 油 菜	烤 鸭

2 问与答
Ask and Answer

根据"情景"选择合适的句子填空。
Fill in the table according to the "Scene".

•	lái yí ge chǎo yóu cài • 来 一 个 炒 油 菜。
•	lái sān wǎn mǐ fàn • 来 三 碗 米 饭。
hái yào bié de ma • 还 要 别 的 吗?	•

3 看图学词
Look and Learn Words

mápó dòufu
spicy tofu

tángcùyú
fish in sweet and sour sauce

miàntiáo
noodles

dànchǎofàn
fried rice with
scrambled eggs

kuàizi
chopsticks

wǎn
bowl

sháozi
spoon

cānjīnzhǐ
napkin

kǎoyā
roast duck

4 双人练习
Pair Work

你正和你的同伴商量中午去饭馆吃什么，向你的同伴询问，并完成表格。
You and your partner are discussing what to eat for lunch in a restaurant. Interview your partner and fill in the table.

		Yourself	Your partner
Cài	Yí ge chǎoyóucài.		
	Yí ge mápó dòufu.		
Zhǔshí	Sān wǎn mǐfàn.		

5 你也能说
You Can Say It Too

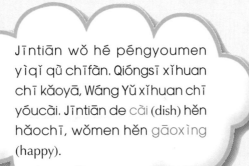

下面是马丁在饭馆吃饭的故事，熟读这段话，然后说说你自己。
The following is Martin's story about eating in a restaurant; please read it, and then tell yours.

> Jīntiān wǒ hé péngyoumen yìqǐ qù chīfàn. Qióngsī xǐhuan chī kǎoyā, Wáng Yǔ xǐhuan chī yóucài. Jīntiān de cài (dish) hěn hǎochī, wǒmen hěn gāoxìng (happy).

6 游戏
Games

唐诗。
Tang poem.

					Thoughts on a tranquil night
	静 夜 思				*By Li Bai*
	李 白				
chuáng qián	míng	yuè	guāng		
床 前	明	月	光，		Before my bed a pool of light —
yí shì	dì	shàng	shuāng		
疑 是	地	上	霜。		Can it be hoar-frost on the ground?
jǔ tóu	wàng	míng	yuè		
举 头	望	明	月，		Looking up, I find the moon bright;
dī tóu	sī	gù	xiāng		
低 头	思	故	乡。		Bowing, in homesickness I'm drowned.
					(translated by Xu Yuanchong)

给老师的提示： 您可以将这四句诗做成四张 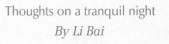，分发给学生们，请他们根据意思做动作，让其他的同学猜一猜是哪一句。

7 图说汉字
Chinese Pictographs

肉 meat
古代的"肉"字就像一大块割下来的肉。
The ancient form of "肉" shows a big piece of meat.

鱼 fish
"鱼"是个象形字，最初"鱼"字像一条完整的鱼，鱼头、鱼身和鱼鳞都很清楚。现在的这条"鱼"，没有了眼睛，尾巴那个部分也变成了一横，还怎么游泳呢？
This is a pictographic character. Graphically, it is the vivid shape of fish with a head, a body and scales. The pictographic fish now has no eyes, and only a stroke as its tail. How could this fish swim?

rōu 肉 丨 冂 冂 内 肉 肉

yú 鱼 ノ 𠂉 ク 佥 刍 角 鱼 鱼

qǐng wèn xǐ shǒu jiān zài nǎr

请 问，洗 手 间 在 哪 儿

Excuse me, where is the rest room

请问，洗手间在哪儿 ▶▶▶▶

- 学会简单的方位词 Learn the simple words of location
- 学会问路 Learn how to ask for directions
- 询问和说明某一物体的基本方位 Learn how to ask about and describe locations

词 语 Words and Phrases

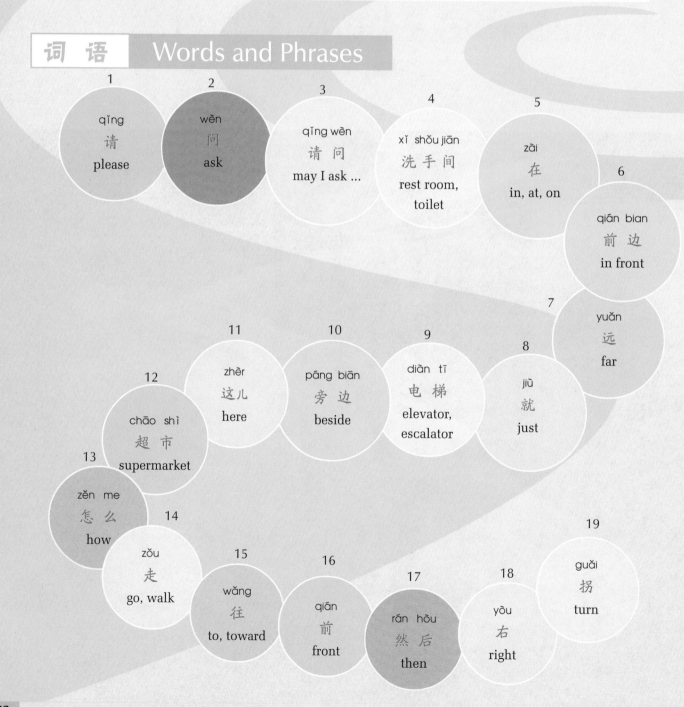

1
qǐng
请
please

2
wèn
问
ask

3
qǐng wèn
请 问
may I ask ...

4
xǐ shǒu jiān
洗手间
rest room,
toilet

5
zài
在
in, at, on

6
qián bian
前 边
in front

7
yuǎn
远
far

8
jiù
就
just

9
diàn tī
电 梯
elevator,
escalator

10
páng biān
旁 边
beside

11
zhèr
这儿
here

12
chāo shì
超 市
supermarket

13
zěn me
怎 么
how

14
zǒu
走
go, walk

15
wǎng
往
to, toward

16
qián
前
front

17
rán hòu
然 后
then

18
yòu
右
right

19
guǎi
拐
turn

52

句子 Sentences

1. Where is the rest room?
2. In front of you.
3. The rest room is right beside the elevator.
4. Is there a supermarket here?
5. Straight ahead, then turn right.

xǐ shǒu jiān zài nǎr
1. 洗手间在哪儿?

zài qián bian
2. 在前边。

xǐ shǒu jiān jiù zài diàn tī páng biān
3. 洗手间就在电梯旁边。

zhèr yǒu chāo shì ma
4. 这儿有超市吗?

wǎng qián zǒu rán hòu wǎng yòu guǎi
5. 往前走,然后往右拐。

情景 Scene

Part 1

mǎ dīng qǐng wèn xǐ shǒu jiān zài nǎr
马丁: 请问,洗手间在哪儿?

xíng rén zài qián bian
行人: 在前边。

mǎ dīng yuǎn ma
马丁: 远吗?

xíng rén bù yuǎn jiù zài diàn tī páng biān
行人: 不远,就在电梯旁边15。

15 The pattern "在 + place + location word" is used to indicate a location.

Part 2

qióng sī zhèr yǒu chāo shì ma
琼斯: 这儿有16超市吗?

xíng rén yǒu
行人: 有。

qióng sī qù chāo shì zěn mo zǒu
琼斯: 去超市怎么走?

xíng rén wǎng qián zǒu rán hòu wǎng yòu guǎi
行人: 往前走,然后往右拐。

16 "有" indicates the location, existence or possession of something. The negative form of "有" is "没有"rather than "不有".

Martin:	Excuse me, where is the rest room?
Pedestrian:	In front of you.
Martin:	Is it far?
Pedestrian:	No, it's right beside the elevator.

Jones:	Is there a supermarket here?
Pedestrian:	Yes.
Jones:	How can I get to the supermarket?
Pedestrian:	Straight ahead, then turn right.

即学即用 Learn and Use

Tīng bù dǒng.
I cannot understand.

活 动 Activities

1 语音练习
Pronunciation

朗读词语。
Read aloud.

zěn me	nǎr	qián bian	páng biān	xǐ shǒu jiān
怎 么	哪 儿	前 边	旁 边	洗 手 间

chāo shì	diàn tī	wǎng qián zǒu	wǎng yòu guǎi
超 市	电 梯	往 前 走	往 右 拐

2 问与答
Ask and Answer

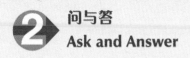

根据"情景"选择合适的句子填空。
Fill in the table according to the "Scene".

xǐ shǒu jiān zài nǎr • 洗 手 间 在 哪儿?	•
qù chāo shì zěn me zǒu • 去 超 市 怎 么 走?	•

3 看图学词
Look and Learn Words

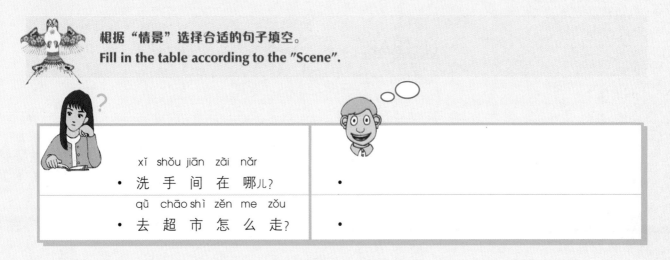

yínháng
bank

yóujú
post office

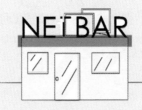

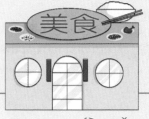

wǎngbā
cyber café

fànguǎnr
restaurant

shàngbian
above

xiàbian
below

zuǒbian
left

yòubian
right

4 看图选择
Look and Match

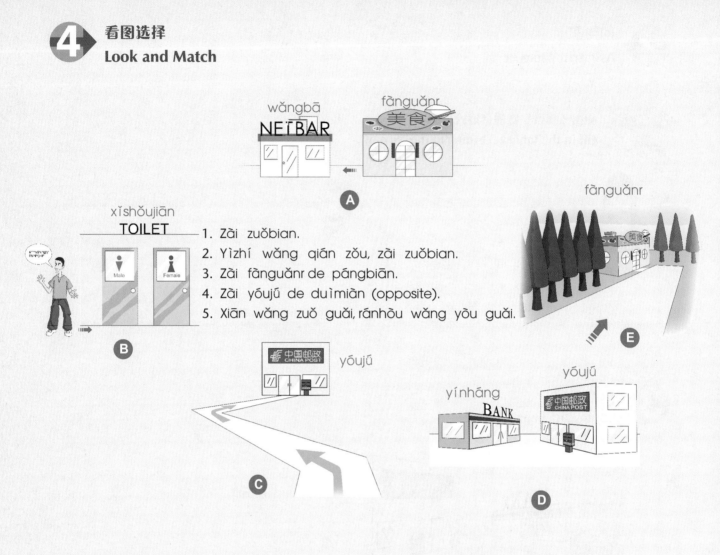

wǎngbā
NETBAR

fànguǎnr
美食

A

xǐshǒujiān
TOILET

Male   Female

B

1. Zài zuǒbian.
2. Yìzhí wǎng qián zǒu, zài zuǒbian.
3. Zài fànguǎnr de pángbiān.
4. Zài yóujú de duìmiàn (opposite).
5. Xiān wǎng zuǒ guǎi, ránhòu wǎng yòu guǎi.

fànguǎnr

E

中国邮政
CHINA POST
yóujú

C

yínháng
BANK

yóujú
中国邮政
CHINA POST

D

看图回答下面的问题。请把图的序号 A–E 写在问题的后面。

Please look at the pictures above and answer the questions. Fill in the brackets with A–E.

1. Wǎngbā zài nǎr?   (   )

2. Yínháng zài nǎr?   (   )

3. Xǐshǒujiān zài nǎr?   (   )

4. Qù yóujú zěnme zǒu?   (   )

5. Qù fànguǎnr zěnme zǒu?   (   )

5 双人练习
Pair Work

王雨邀请马丁、琼斯和大卫到他家做客。请仔细地看看王雨家的方位图。从图上标出的3个位置出发，都能到王雨家。和同伴商量一下你们想从哪里出发，怎么走。然后，和别的小组比较一下。

Wang Yu invites Martin, Miss Jones and David to his home. Please look carefully at the map below for the location of Wang Yu's home. It shows that you can start from 3 positions, all leading to Wang Yu's home. Please discuss with your partner where to start and how to describe the path clearly in Chinese. Share your decision and description with others and see if theirs is different from yours.

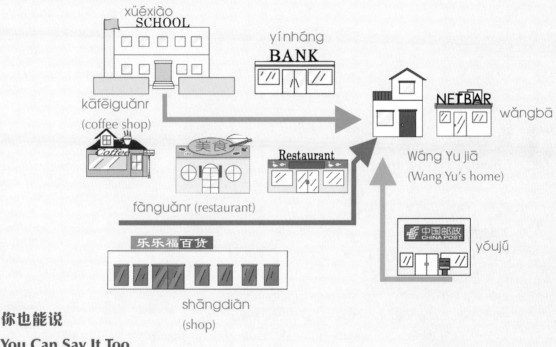

xuéxiào
SCHOOL

yínháng
BANK

NETBAR
wǎngbā

kāfēiguǎnr
(coffee shop)

Restaurant

Wáng Yu jiā
(Wang Yu's home)

fànguǎnr (restaurant)

yóujú

乐乐福百货

shāngdiàn
(shop)

6 你也能说
You Can Say It Too

熟读琼斯的这段话，然后说说你自己。
Please read Miss Jones's words below, and give your version.

Jīntiān shàngwǔ wǒ qù chāoshì, chāoshì bù yuǎn, jiù zài yínháng pángbiān. Xiàwǔ wǒ qù yóujú, yóujú shì báisè (white) de dà lóu (building).

7 游戏
Games

唐诗。
Tang poem.

登鹳雀楼
王之涣

bái	rì	yī	shān	jìn
白	日	依	山	尽，

huáng hé	rù	hǎi	liú
黄 河	入	海	流。

yù	qióng	qiān	lǐ	mù
欲	穷	千	里	目，

gèng	shàng	yì	céng	lóu
更	上	一	层	楼。

On the Stork Tower
By Wang Zhihuan

The sun along the mountain bows;

The Yellow River seawards flows.

You will enjoy a grander sight

If you climb to a greater height.
(translated by Xu Yuanchong)

8 图说汉字
Chinese Pictographs

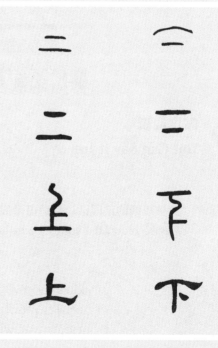

上 up, above
"上"下面较长的一横是地平线，上面的一短横是指示符号，说明这里是上面。
That is a self-explanatory character. Graphically, it is composed of two horizontal planes of which the lower, longer one is the horizon and the upper short one is the indicative symbol.

下 down, below
和"上"字相反，"下"字上面较长的一横是地平线，下面较短的一横是指示符号，说明这里是下面。
The opposite of "上"; the longer upper stroke indicates the horizon and the lower bar is the self-explanatory symbol indicating the position below.

shàng

xià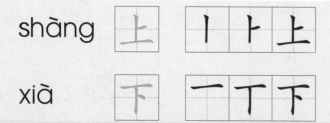

shī fu wǒ qù tiān ān mén

师傅，我去天安门

Sir, I'd like to go to Tian An Men

师傅，我去天安门 ▶▶▶▶

- 学会乘坐出租车的常用语 **Learn the vocabulary needed in a taxi**
- 学会询问和说明乘车路线 **Learn how to ask about and describe routes**

词 语 Words and Phrases

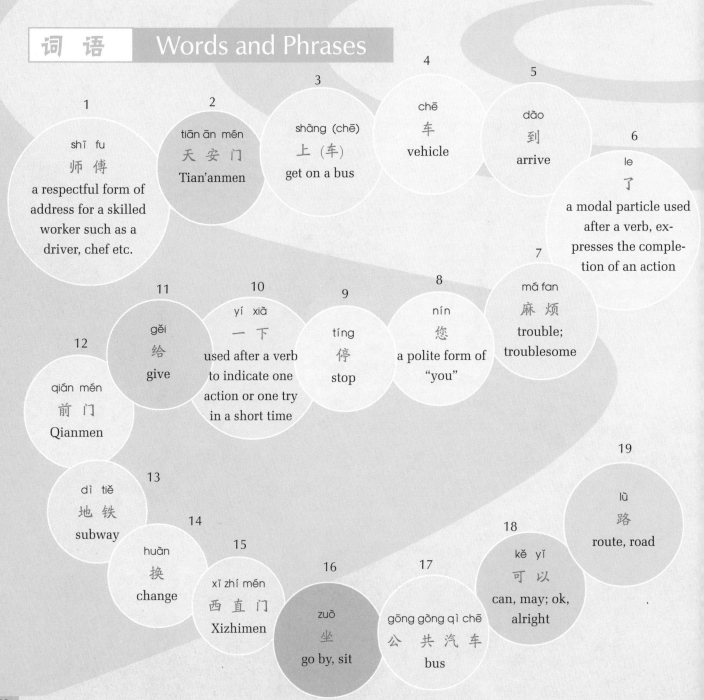

1
shī fu
师傅
a respectful form of address for a skilled worker such as a driver, chef etc.

2
tiān ān mén
天安门
Tian'anmen

3
shàng (chē)
上（车）
get on a bus

4
chē
车
vehicle

5
dào
到
arrive

6
le
了
a modal particle used after a verb, expresses the completion of an action

7
má fan
麻烦
trouble; troublesome

8
nín
您
a polite form of "you"

9
tíng
停
stop

10
yí xià
一下
used after a verb to indicate one action or one try in a short time

11
gěi
给
give

12
qián mén
前门
Qianmen

13
dì tiě
地铁
subway

14
huàn
换
change

15
xī zhí mén
西直门
Xizhimen

16
zuò
坐
go by, sit

17
gōng gòng qì chē
公共汽车
bus

18
kě yǐ
可以
can, may; ok, alright

19
lù
路
route, road

句 子 Sentences

wǒ qù tiān ān mén
1. 我 去 天 安 门。

tiān ān mén dào le ma
2. 天 安 门 到 了 吗?

má fan nín tíng yí xià
3. 麻 烦 您 停 一 下。

qù qián mén yǒu dì tiě ma
4. 去 前 门 有 地 铁 吗?

zài nǎr huàn dì tiě
5. 在 哪儿 换 地 铁?

zuò jǐ lù chē
6. 坐 几 路 车?

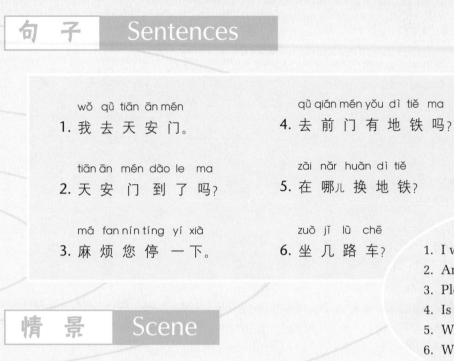

1. I want to go to Tian'anmen square.
2. Are we at Tian'anmen square?
3. Please stop here.
4. Is there a subway to Qianmen?
5. Where do I transfer to the subway?
6. Which bus can I take?

情 景 Scene

Part 1

dà wèi   shī fu wǒ qù tiān ān mén
大 卫: 师 傅, 我 去 天 安 门。

sī jī   shàng chē ba
司 机: 上 车 吧。

(20 分钟后   20 fēn zhōng hòu)

dà wèi   tiān ān mén dào le ma
大 卫: 天 安 门 到 了 吗?

sī jī   qián bian jiù shì
司 机: 前 边 就 是。

dà wèi   má fan nín tíng yí xià
大 卫: 麻 烦 您 停 一 下。

sī jī   èr shí èr kuài
司 机: 22   块。

dà wèi   gěi nín qián
大 卫: 给 您 钱。

David:	Sir, I want to go to Tian'anmen square.
Driver:	Get in!
	(20 minutes later)
David:	Are we at Tian'anmen square?
Driver:	Its right there in front.
David:	Please stop here.
Driver:	22 *kuai*.
David:	Here you are.

Part 2

qióng sī　qù qián mén yǒu dì tiě ma
琼斯：去 前 门 有 地 铁 吗？

shòu piào yuán　yǒu
售 票 员：有。

qióng sī　zài nǎr huàn dì tiě
琼斯：在 哪儿 换 地 铁？

shòu piào yuán　zài xī zhí mén
售 票 员：在 西 直 门。

qióng sī　zuò gōng gòng qì chē kě yǐ ma
琼斯：坐 公 共 汽 车 可 以 吗？

shòu piào yuán　kě yǐ
售 票 员：可 以。

qióng sī　zuò jǐ lù chē
琼斯：坐 几 路 车？

shòu piào yuán　yāo yāo bā lù
售 票 员：1 1 8 路。

Jones:	Is there a subway to Qianmen?
Conductor:	Yes.
Jones:	Where do I get the subway?
Conductor:	At Xizhimen.
Jones:	Can I take a bus there?
Conductor:	You can.
Jones:	Which bus can I take?
Conductor:	Bus 118.

即学即用　Learn and Use

Bù zhīdào.
I don't know.

活 动　Activities

1　语音练习
Pronunciation

朗读词语。
Read aloud.

gōng gòng qì chē	dì tiě	shī fu	tiān ān mén
公 共 汽 车	地 铁	师 傅	天 安 门

qián mén	xī zhí mén	má fan	tíng	huàn
前 门	西 直 门	麻 烦	停	换

2　问与答
Ask and Answer

根据"情景"选择合适的句子填空。
Fill in the table according to the "Scene".

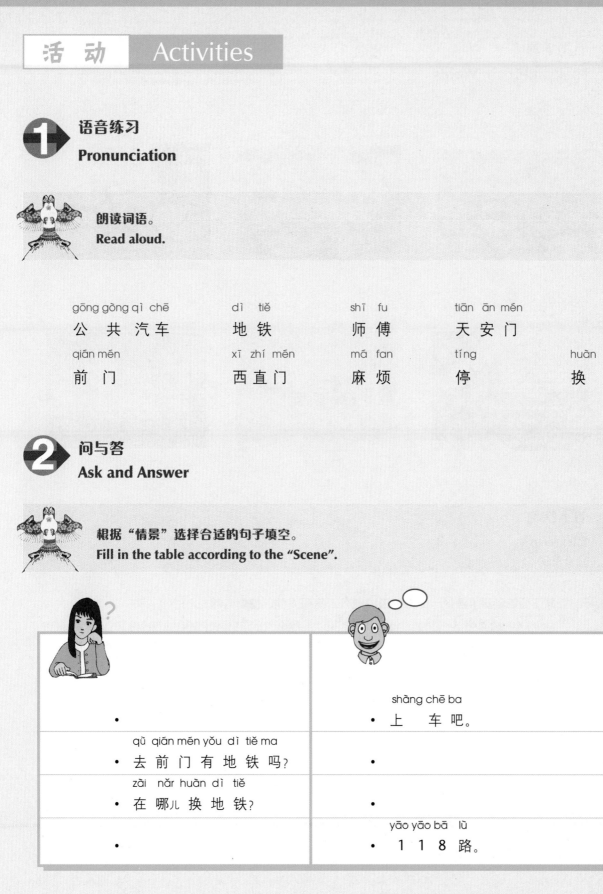

	shàng chē ba
•	• 上 车 吧。
qù qián mén yǒu dì tiě ma	
• 去 前 门 有 地 铁 吗？	•
zài nǎr huàn dì tiě	
• 在 哪儿 换 地 铁？	•
	yāo yāo bā lù
•	• 1 1 8 路。

師傅，我去天安门 ▶▶▶▶

3 看图学词
Look and Learn Words

fēijīchǎng
airport

chūzūchē
taxi

zìxíngchē
bicyde

huǒchē
train

fēijī
airplane

huǒchēzhàn
railway station

4 双人练习
Pair Work

先从下面的彩球中选择一个你要去的地方。问问同伴，他要去哪儿。
Please choose a destination from the balloons below. Ask your partner about the places she/ he wants to go. Then practice how to take a taxi with your partner with one of you as the taxi driver and the other a passenger.

fēijīchǎng   huǒchēzhàn   Tiān'ānmén   Yíhéyuán

5 ▶ 你也能说
You Can Say It Too

熟读琼斯的这段话，然后说说你自己。
Please read Miss Jone's words below and give your version.

> Wǒ jīntiān yào qù Tiān'ānmén, wǒ xiǎng (want) zuò qìchē qù, lǎoshī shuō zuò dìtiě gèng fāngbiàn (more convenient), zài Zhōngshan Lù (Zhongshan road) zuò dìtiě.

6 ▶ 游戏
Games

四到五人一组，每人选择中国的一个城市名，如北京、上海、西安、广州。大家都要记住自己选择的城市名字。游戏开始时选择北京的人说："北京的火车就要开！"大家一起问："往哪儿开？"他从其他三人所选的城市中挑一个，说："往上海开。"这时候，选择上海的人就要马上接着说："上海的火车就要开。"大家又一起问："往哪儿开？"如此循环。要求听到火车开往自己所选的城市时，立刻做出反应。

Form a group of 4 or 5 people, and each choose a city in China, i.e. Beijing, Shanghai, Xi'an or Guangzhou. Remember the name of your city.
The person who chose Beijing starts by saying, "Běijīng de huǒchē jiùyào kāi!" The others then proceed by asking, "Wǎng nǎr kāi?".
The person who chose Beijing selects any one of the cities, for example Shanghai, and says "Wǎng Shànghǎi kāi." The person who has chosen Shanghai then repeats the first line, "Shànghǎi de huǒchē jiùyào kāi!" The game continues on like this, it's all about quick response.

A: Běijīng de huǒchē jiù yào kāi!
(The Beijing train is leaving!)

B: Wǎng nǎr kāi?
(Where is it going?)

A: Wǎng ... kāi.
(It's going to ...)

You can refer to the box during the game.

图说汉字
Chinese Pictographs

心 heart
最初的"心"字很像心脏的形状，上面画着血管。
Originally, the character "心" looked exactly like a heart with blood vessels in oracle bone inscriptions.

手 hand
古代的"手"字有手臂，还有五个手指，后来为了写起来方便美观，就写成了今天的样子。
The original "手" had an arm and five fingers. Later the character changed to the current shape for the convenience and elegance of writing.

xīn

shǒu

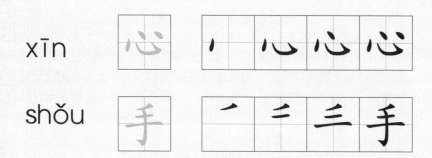

wǒ wàng le dài yào shi

我 忘 了 带 钥 匙

I've left my keys behind

我忘了带钥匙 ▶▶▶

- 学会住宿服务的常用语　Learn words related to accommodation service
- 学会在房间求助　Learn how to ask for help when there is a problem in the dormitory

词 语　Words and Phrases

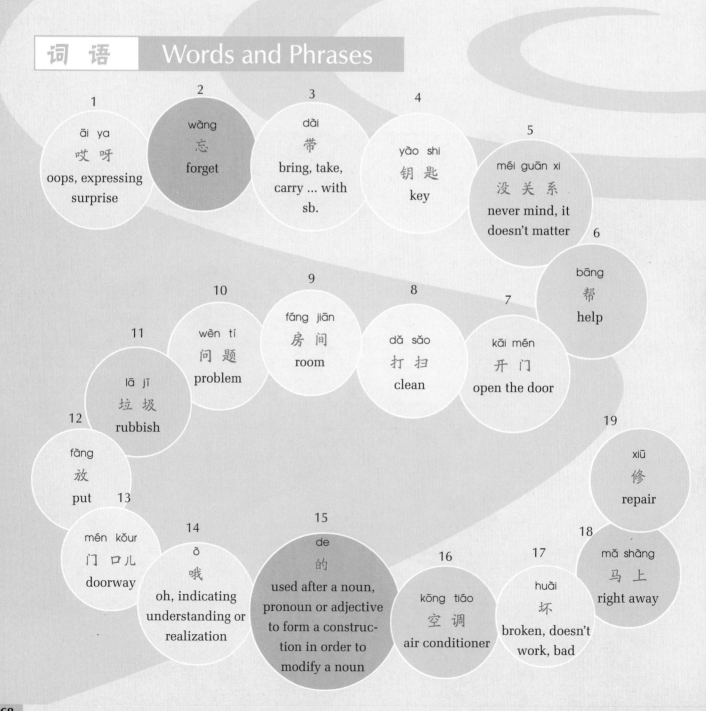

1　āi ya　哎呀　oops, expressing surprise

2　wàng　忘　forget

3　dài　带　bring, take, carry ... with sb.

4　yào shi　钥匙　key

5　méi guān xi　没关系　never mind, it doesn't matter

6　bāng　帮　help

7　kāi mén　开门　open the door

8　dǎ sǎo　打扫　clean

9　fáng jiān　房间　room

10　wèn tí　问题　problem

11　lā jī　垃圾　rubbish

12　fàng　放　put

13　mén kǒur　门口儿　doorway

14　ò　哦　oh, indicating understanding or realization

15　de　的　used after a noun, pronoun or adjective to form a construction in order to modify a noun

16　kōng tiáo　空调　air conditioner

17　huài　坏　broken, doesn't work, bad

18　mǎ shàng　马上　right away

19　xiū　修　repair

句子 Sentences

1. I've left my keys behind.
2. I'll help you open the door.
3. Could you help me clean my room?
4. Where should I put the rubbish?
5. My air conditioner doesn't work.

wǒ wàng le dài yào shi
1. 我 忘 了 带 钥 匙。

wǒ bāng nǐ kāi mén
2. 我 帮 你 开 门。

kě yǐ dǎ sǎo yí xià fáng jiān ma
3. 可 以 打 扫 一 下 房 间 吗?

lā jī fàng zài nǎr
4. 垃 圾 放 在 哪儿?

wǒ de kōng tiáo huài le
5. 我 的 空 调 坏 了。

情景 Scene

Part 1

mǎ dīng   āi ya   wǒ wàng le   dài yào shi
马 丁: 哎 呀, 我 忘 了[17] 带 钥 匙。

fú wù yuán   méi guān xi   wǒ bāng nǐ kāi mén
服 务 员: 没 关 系, 我 帮 你 开 门。

mǎ dīng   kě yǐ dǎ sǎo yí xià fáng jiān ma
马 丁: 可 以 打 扫 一 下 房 间 吗?

fú wù yuán   méi wèn tí
服 务 员: 没 问 题。

17 "了", used after a verb; expresses the completion of an action.

Martin:	Oops, I've left my keys behind.
Housekeeper:	It doesn't matter. I'll help you open the door.
Martin:	Could you help me clean my room?
Housekeeper:	No problem.

Part 2

<table>
<tr><td>dà wèi</td><td colspan="6">qǐng wèn lā jī fàng zài nǎr</td></tr>
<tr><td>大卫:</td><td colspan="6">请问，垃圾放在哪儿?</td></tr>
<tr><td>fú wù yuán</td><td colspan="6">fàng zài mén kǒur</td></tr>
<tr><td>服务员:</td><td colspan="6">放在门口儿。</td></tr>
<tr><td>dà wèi</td><td colspan="6">ò wǒ de kōng tiáo huài le</td></tr>
<tr><td>大卫:</td><td colspan="6">哦，我 的[18] 空 调 坏 了[19]。</td></tr>
<tr><td>fú wù yuán</td><td colspan="6">wǒ mǎ shàng jiù lái xiū</td></tr>
<tr><td>服务员:</td><td colspan="6">我 马 上 就[20] 来[21] 修。</td></tr>
</table>

18 The pattern of "noun/pronoun＋ 的 ＋noun" forms genitives and expresses that something belongs to somebody. E.g. 我的书 (my book), 马修 的钥匙 (Matthew's keys).

19 "了", used at the end of sentences, indicates a change in the situation. This sentence means: the air conditioner was ok before, but now it doesn't work.

20 "就" here means the action is going to happen right away or in a short time.

21 In this situation, "来" means "come".

David:	Excuse me, where should I put the rubbish?
Housekeeper:	At the doorway.
David:	Oh, my air conditioner isn't working.
Housekeeper:	I will repair it right away.

即学即用 Learn and Use

Zěnme bàn?
What can I do?

活 动 Activities

1 语音练习
Pronunciation

朗读词语。
Read aloud.

yào shi	fáng jiān	kōng tiáo	lā jī	xiū
钥 匙	房 间	空 调	垃 圾	修

dǎ sǎo	bāng	kāi	dài	huài
打 扫	帮	开	带	坏

2 问与答
Ask and Answer

根据"情景"选择合适的句子填空。
Fill in the table according to the "Scene".

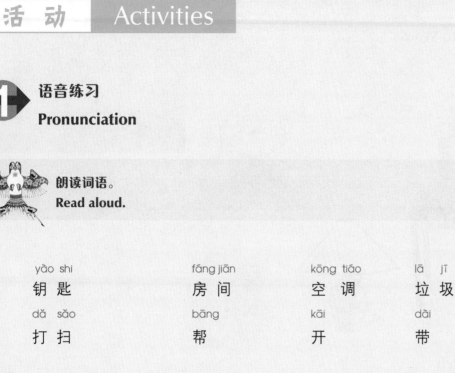

wǒ wàng le dài yào shi • 我 忘 了 带 钥 匙。	•
wǒ de kōng tiáo huài le • 我 的 空 调 坏 了。	•
•	fàng zài mén kǒur • 放 在 门 口儿。

3 看图学词
Look and Learn Words

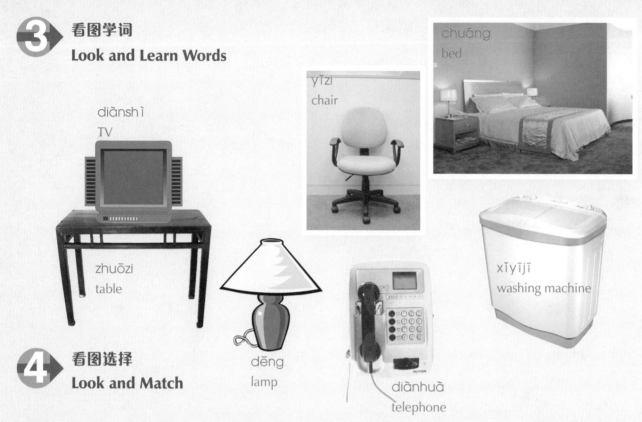

diànshì
TV

yǐzi
chair

chuáng
bed

zhuōzi
table

dēng
lamp

diànhuà
telephone

xǐyījī
washing machine

4 看图选择
Look and Match

图上的人物遇到了什么问题？她应对服务员说什么？请用直线把合适的句子和对应的图连起来。
Look at the pictures and guess what problem he/she has encountered. What should he/she say to the attendant? Please match pictures with sentences.

1. Wǒ de diànshì huài le.
   My TV doesn't work.
2. Qǐng dǎsǎo yíxià wǒ de fángjiān.
   Please clean my room.
3. Diànhuà huài le.
   The Telephone doesn't work.

5 双人练习
Pair Work

从下面的 4 件事情中选择你最不愿意发生的两件，比较你和同伴的选择。
Choose 2 things that you worry about most from the following 4 and tick them in the appropriate boxes. Then compare with your partners.

	Martin	Yourself	Your partner
1	✔		
2			
3			
4	✔		

zuì
最
most

pà
怕
worry

A: Nǐ zuì pà shénme?
(What makes you worry most?)
B: Wǒ zuì pà...
(What makes me worry most is ...)

1. Diànshì huài le. The TV doesn't work.
2. Diànhuà huài le. The telephone doesn't work.
3. Kōngtiáo huài le. The air conditioner doesn't work.
4. Yàoshi wàng dài le. I've left my keys.

给老师的提示： 你可以找一两位同学说一说。

6 你也能说
You Can Say It Too

熟读马丁这段话，然后说说你的房间出现的问题。
Please read Martin's words and give your version.

Jīntiān wǒ wàng le dài yàoshi, fúwùyuán bāng wǒ kāi le mén, tā hái dǎsǎo le wǒ de fángjiān. Wǒ de kōngtiáo huài le, hěn rè (hot), tāmen mǎshàng lái xiū.

7 游戏
Games

抽签猜词语
Charades

老师准备好若干张生词卡片，每个卡片上写着一个词语。学生每人抽一张，请一位同学到教室的前边来，用身体语言把词语的意思表现出来，让全班同学猜。

The teacher will prepare a set of cards with the vocabulary of the lesson on them, one word on each card. Everyone will take a card and come to the front of the classroom. Then he/she will act out silent clues according to the meaning of the word, while the rest of the class guess the meaning.

给老师的提示：你可以选用下列词语。

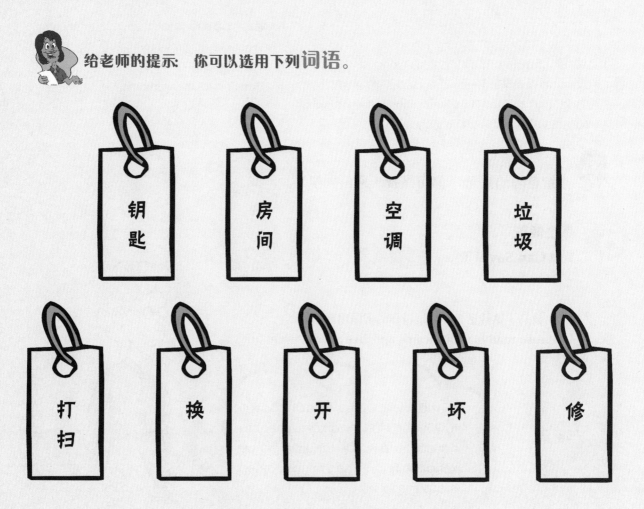

钥匙　　房间　　空调　　垃圾

打扫　　换　　开　　坏　　修

8 ▶ 图说汉字
Chinese Pictographs

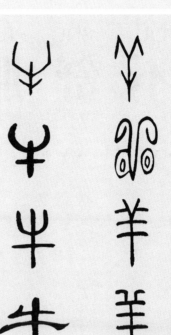

牛 ox, cattle

最初的"牛"字是一只牛头的样子，突出了牛弯曲而粗长的角。汉语里有一个很有意思的词——"吹牛"，英文字面意思是"blowing a cattle"，很奇怪是吗?这个词的意思实际上是"说大话"。

Originally, 牛 was the form of the head of an ox. The long and curved horns were emphasized. In Chinese, there is an interesting phrase "吹牛"(chuīniú) which literally means "blow on a cow", does it sound strange to you? Actually it means to boast, or brag .

羊 sheep, goat

最初的"羊"字是一只羊头的形状，两只细细的角向下弯着。

Originally, it was a sheep's head with two slim horns bending downward.

niú

yáng

UNIT 9

wǒ bù shū fu

我 不 舒 服

I am not well

目 标 Objectives

- 描述常见病状 **Learn how to describe the symptoms of illnesses**

词 语 Words and Phrases

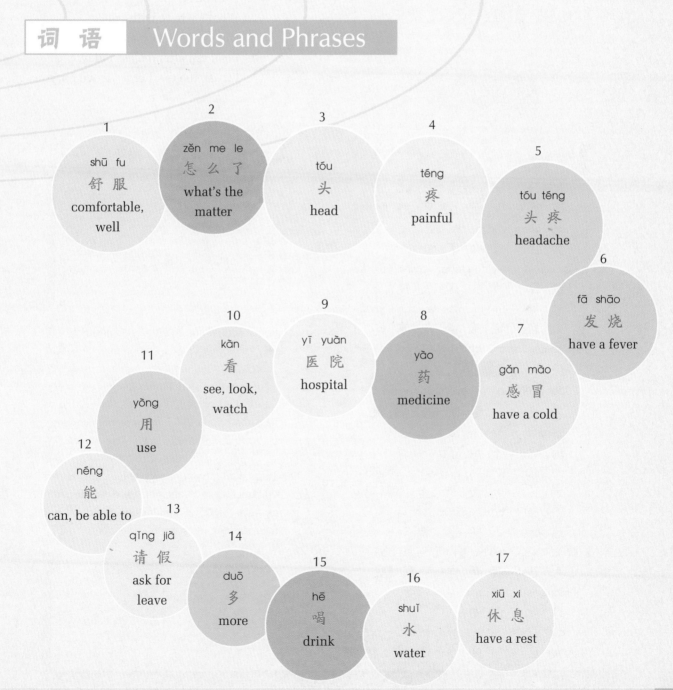

1
shū fu
舒服
comfortable,
well

2
zěn me le
怎么了
what's the
matter

3
tóu
头
head

4
téng
疼
painful

5
tóu téng
头疼
headache

6
fā shāo
发烧
have a fever

7
gǎn mào
感冒
have a cold

8
yào
药
medicine

9
yī yuàn
医院
hospital

10
kàn
看
see, look,
watch

11
yòng
用
use

12
néng
能
can, be able to

13
qǐng jià
请假
ask for
leave

14
duō
多
more

15
hē
喝
drink

16
shuǐ
水
water

17
xiū xi
休息
have a rest

我不舒服 ▶▶▶▶

句子　Sentences

wǒ bù shū fu
1. 我 不 舒 服。

zěn me le
2. 怎 么 了?

chī yào le ma
3. 吃 药 了 吗?

wǒ jīn tiān bù néng shàng kè le
4. 我 今 天 不 能 上 课 了。

wǒ bāng nǐ qǐng jià ba
5. 我 帮 你 请 假 吧。

1. I am not well.
2. What's wrong with you?
3. Did you take any medicine?
4. I can not attend class today.
5. I'll ask the teacher for leave for you.

情景　Scene

qióng sī　dà wèi　wǒ bù shū fu
琼 斯: 大 卫, 我 不 舒 服。

dà wèi　zěn me le
大 卫: 怎 么 了?

qióng sī　wǒ tóu téng　fā shāo
琼 斯: 我 头 疼, 发 烧。

dà wèi　nǐ gǎn mào le　chī yào le ma
大 卫: 你 感 冒 了。吃 药 了 吗?

qióng sī　méi chī
琼 斯: 没 吃 22。

dà wèi　qù yī yuàn kàn kan ba
大 卫: 去 医 院 看 看 23 吧。

qióng sī　bú yòng le
琼 斯: 不 用 了。

dà wèi　jīn tiān néng shàng kè ma
大 卫: 今 天 能 上 课 吗?

qióng sī　bù néng shàng kè le
琼 斯: 不 能 上 课 了。

dà wèi　wǒ bāng nǐ qǐng jià ba
大 卫: 我 帮 你 请 假 吧。

qióng sī　xiè xie
琼 斯: 谢 谢!

dà wèi　duō hē shuǐ, hǎo haor xiū xi
大 卫: 多 喝 水, 好 好 儿 休 息!

22 Both "没(有)" and "不" express negation. "没 (有)" indicates a past action or state, i.e. "我昨 天没吃药" (I did not take medicine yesterday.). "不" indicates an action in the present or the future, i.e. "我明天不去银行" (I won't go to bank tomorrow). "不" may also negate wishes, i.e."我不喜欢看电视"(I don't like watching TV).

23 The reduplication of a verb implies a short and quick action or an attempt. Here reduplication formulas "看看" makes the tone sound soft and mild, expressing a sense of suggestion.

Jones: David, I am not well.

David: What's wrong with you?

Jones: I had a headache and a fever.

David: You have a cold. Did you take any medicine?

Jones: Not yet.

David: Let's go to the hospital.

Jones: It's not neccessary.

David: Can you attend class today?

Jones: No, I can't.

David: I'll ask the teacher for leave for you.

Jones: Thanks.

David: Drink more water and have a good rest.

即 学 即 用   Learn and Use

Hǎnyǔ zěnme shuō?
How do you say it in Chinese?

活动 Activities

1 语音练习
Pronunciation

朗读词语。
Read aloud.

tóu téng	gǎn mào	fā shāo
头 疼	感 冒	发 烧
qǐng jià	xiū xi	chī yào
请 假	休 息	吃 药

2 问与答
Ask and Answer

根据"情景"选择合适的句子填空。
Fill in the table according to the "Scene".

	wǒ tóu téng
•	• 我 头 疼。
chī yào le ma	
• 吃 药 了 吗?	•
qù yī yuàn kàn kan ba	
• 去 医 院 看 看 吧。	•
jīn tiān néng shàng kè ma	
• 今 天 能 上 课 吗?	•

4 看图学词
Look and Learn Words

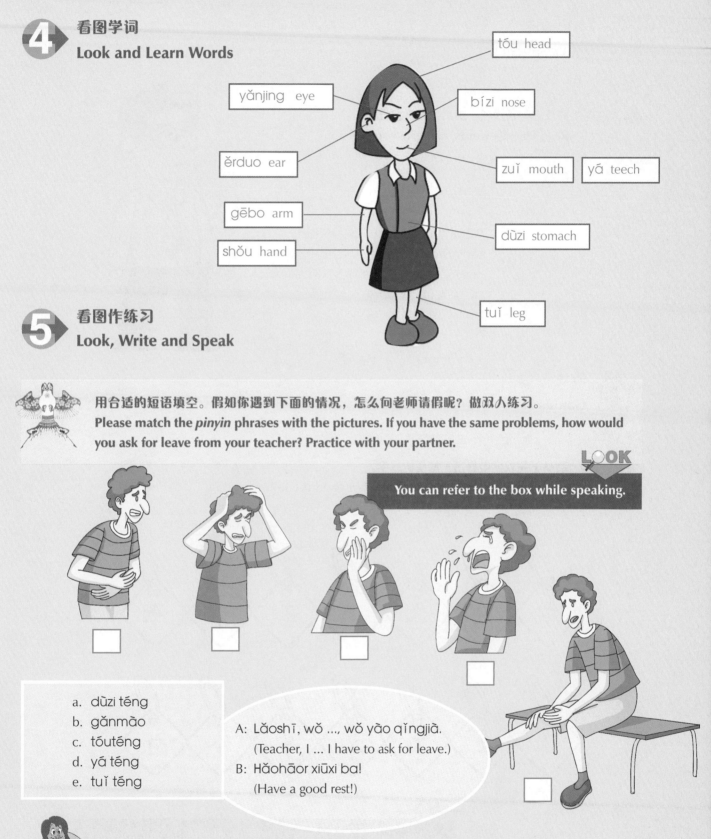

tóu head

yǎnjing eye

bízi nose

ěrduo ear

zuǐ mouth   yá teech

gēbo arm

dùzi stomach

shǒu hand

tuǐ leg

5 看图作练习
Look, Write and Speak

用合适的短语填空。假如你遇到下面的情况，怎么向老师请假呢？做双人练习。

Please match the *pinyin* phrases with the pictures. If you have the same problems, how would you ask for leave from your teacher? Practice with your partner.

LOOK

You can refer to the box while speaking.

a. dùzi téng
b. gǎnmào
c. tóuténg
d. yá téng
e. tuǐ téng

A: Lǎoshī, wǒ ..., wǒ yào qǐngjià.
   (Teacher, I ... I have to ask for leave.)
B: Hǎohāor xiūxi ba!
   (Have a good rest!)

给老师的提示： 学生互换角色，再练习一次。

6 ▶ 你也能说
You Can Say It Too

熟读大卫这段话，然后说说你自己。
Read David's words, and give your version.

> Wǒ jīntiān shàngwǔ bù shūfu, dùzi téng. Wǒ qǐngjià le, zài sùshè (dormitory) xiūxi. Lǎoshī shuō, bié dānxīn (don't worry), duō hē shuǐ, xiūxi xiūxi jiù hǎo le.

7 ▶ 游戏
Games

请从下列汉字中找出三笔画的汉字。
Please choose the 3 strokes characters from the following.

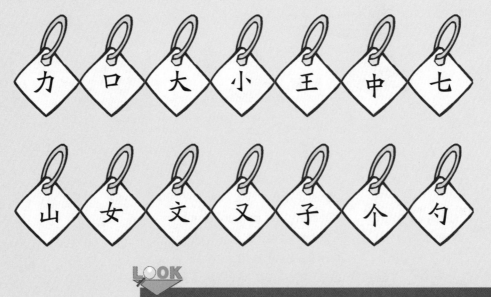

力　口　大　小　王　中　七

山　女　文　又　子　个　勺

LOOK

What other characters with three strokes do you know?

8 图说汉字
Chinese Pictographs

口 mouth

"口"最初是人嘴的样子，圆圆的。现在怎么变成了方方正正的了?因为汉字是方块字，没有圆形的笔画，所以"口"字也变成方形的了。注意，千万不要写成英文字母O啊。

"口" was originally round in the form of a human mouth. How come it is now square? Because there is now no round stroke in Chinese characters, don't write the character "口" like the letter "O".

耳 ear

在古文字中"耳"字十分形象地描绘出了一只耳朵的形状。

In oracle bone inscriptions, the character "耳" was a vivid picture of an ear.

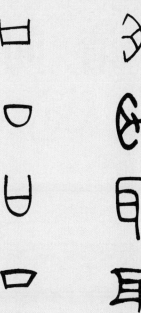

kǒu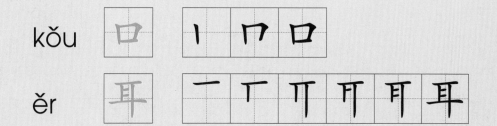

ěr

wèi　　qǐng wèn mǎ dīng zài　 ma

喂，请问马丁在吗

Hello, May I speak to Martin

目 标 Objectives

- 学会打电话的礼貌用语 **Learn telephone etiquette**
- 学会简单的邀约 **Learn basic invitations**

词 语 Words and Phrases

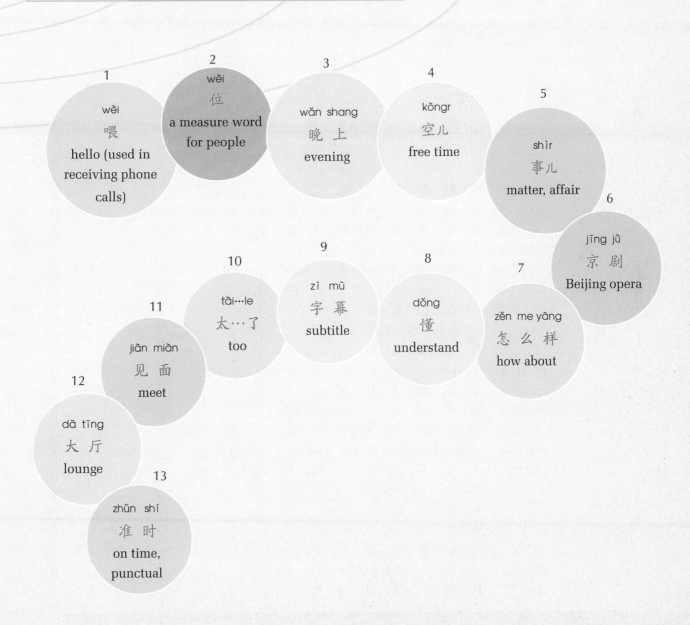

1
wèi
喂
hello (used in receiving phone calls)

2
wèi
位
a measure word for people

3
wǎn shang
晚上
evening

4
kòngr
空儿
free time

5
shìr
事儿
matter, affair

6
jīng jù
京 剧
Beijing opera

7
zěn me yàng
怎么样
how about

8
dǒng
懂
understand

9
zì mù
字幕
subtitle

10
tài…le
太…了
too

11
jiàn miàn
见 面
meet

12
dà tīng
大厅
lounge

13
zhǔn shí
准 时
on time, punctual

喂，请问马丁在吗 ▶▶▶▶

1. Hello, May I speak to Martin?
2. Who's calling?
3. Are you free tomorrow night?
4. How about going to watch Beijing opera together?
5. I will be there on time.

句子　Sentences

wèi, qǐng wèn mǎ dīng zài ma
1. 喂，请问马丁在吗？

nǐ shì nǎ wèi
2. 你是哪位？

míng tiān wǎn shang yǒu kòngr ma
3. 明天晚上有空儿吗？

yì qǐ qù kàn jīng jù zěn me yàng
4. 一起去看京剧怎么样？

wǒ yí dìng zhǔn shí dào
5. 我一定准时到。

情景　Scene

wáng yǔ　wèi qǐng wèn mǎ dīng zài ma
王雨：喂，请问马丁在吗？

mǎ dīng　wǒ jiù shì nǐ shì nǎ wèi
马丁：我就是，你是哪位？

wáng yǔ　wǒ shì wáng yǔ a míng tiān wǎn shang yǒu kòngr ma
王雨：我是王雨啊。明天晚上有空儿吗？

mǎ dīng　yǒu a yǒu shén me shìr ma
马丁：有啊，有什么事儿吗？

wáng yǔ　yì qǐ qù kàn jīng jù zěn me yàng
王雨：一起去看京剧怎么样？

mǎ dīng　wǒ néng kàn dǒng ma
马丁：我能看懂吗？

wáng yǔ　méi wèn tí yǒu zì mù
王雨：没问题，有字幕。

mǎ dīng　nà tài hǎo le jǐ diǎn jiàn miàn
马丁：那太好了，几点见面？

wáng yǔ　wǎn shang liù diǎn, kě yǐ ma
王雨：晚上6点，可以吗？

mǎ dīng　kě yǐ zài nǎr
马丁：可以，在哪儿？

wáng yǔ　zài liú xué shēng lóu dà tīng
王雨：在留学生楼大厅。

mǎ dīng　hǎo wǒ yí dìng zhǔn shí dào
马丁：好，我一定准时到。

Wang Yu: Hello, May I speak to Martin?

Martin: This is Martin, who's calling?

Wang Yu: This is Wang Yu. Are you free tommorrow night?

Martin: Yes, I am free. What's up?

Wang Yu: How about going to watch Beijing opera together?

Martin: Will I be able to understand?

Wang Yu: No problem, there are subtitles.

Martin: Wonderful, when should we meet?

Wang Yu: 6:00 pm, ok?

Martin: Alright, where should we meet?

Wang Yu: At the Overseas Student Building Hall.

Martin: Ok, I will be there on time.

即学即用 Learn and Use

Time Table

课程表

Bié wǎn le!
Don't be too late!

活 动 Activities

1 语音练习
Pronunciation

朗读词语。
Read aloud.

jīng jù	zì mù	dǎ tīng	wǎn shang
京 剧	字 幕	大 厅	晚 上

jiàn miàn	kě yǐ	zhǔn shí	yì qǐ
见 面	可 以	准 时	一 起

2 问与答
Ask and Answer

根据"情景"选择合适的句子填空。
Fill in the table according to the "Scene".

qǐng wèn mǎ dīng zài ma • 请 问，马 丁 在 吗？	•
•	yǒu a • 有 啊。
wǒ néng kàn dǒng ma • 我 能 看 懂 吗？	•
yǒu shén me shìr ma • 有 什 么 事儿 吗？	•
wǎn shang liù diǎn kě yǐ ma • 晚 上 6 点，可 以 吗？	•

3 看图学词
Look and Learn Words

hē jiǔ
drink wine

hē kāfēi
drink coffee

tiàowǔ
dance

sànbù
walk

xìn
letter

4 双人练习
Pair Work

tóubì diànhuà
coin phone

shǒujī
cell phone

请你先用拼音填好下周的计划表，然后和同伴做打电话练习，商量什么时间一起去网吧。完成后，与另一组交换同伴再做一次。

Please map out the schedule for next week below using *pinyin* and perform the following phone conversation practice. You can call to ask when your partner will be free to go to the cyber café with you. You may change partners with another group and repeat the activity.

	Xīngqīrì	Xīngqīyī	Xīngqīwǔ	Xīngqīliù
Xiàwǔ	qù wǎngbā			
Wǎnshang	xiūxi			

A: Wèi, ... zàima?
   (Hello, is ... there?)
B: Wǒ shì..., qǐngwèn shì nǎ wèi?
   (This is... May I ask who's calling?)

A: ...yǒu shíjiān ma?
   (Are you free at...?)
B: Yǒu a, nǐ yǒu shénme shì ma?/
   Méiyǒu, wǒ yào...
   (Yes I do. What's up?/
   No, I don't. I have to...)

5 你也能说
You Can Say It Too

熟读马丁这段话，然后说说你和朋友出去看演出的情况。
Please read Martin's words, and then tell your story of your going to see the performance with your friend.

Xiàwǔ, Wáng Yǔ gěi wǒ dǎ diànhuà (make a phone call), yào hé wǒ yìqǐ qù kàn jīng jù. Wáng Yǔ shuō (say) zhè ge jīngjù yǒu zìmù, néng kàn dǒng. wǒmen míngtiān wǎnshang liù diǎn zài liúxuéshēng lóu dàtīng jiànmiàn.

6 游戏
Games

石头剪子布
Rock, Paper, Scissors

比赛规则 Rules
1. 石头赢剪子，剪子赢布，布赢石头。
   Stone beats Scissors, Scissors beats Paper, and Paper beats Stone.
2. 两人一组，进行比赛。
   Form pairs and compete against each other.
3. 采用淘汰赛的方式直至决出全班的冠军。
   Face off tournament style until there is a class champion.

7 图说汉字
Chinese Pictographs

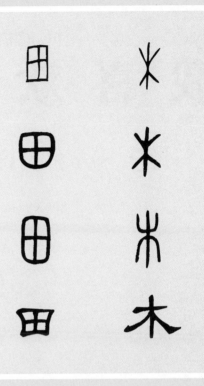

田 field, land

这个字是个标准方块字，无论从哪个方向看都是方的。中间的"十"好像是小路和田埂，它们把一块块的田地分隔开。

"田"is a typical Chinese character that is in the standard square shape in every part. The middle part "十" is just like roads and stalks, separating the field into smaller sections. It is a peaceful scene in an agricultural society.

木 wood

古代的"木"字代表的是一棵树，中间是树干，上面是树枝，下面是树根。

Originally, "木" represented a tree, the middle part as the stem, the upper part the branches and the lower part the root.

tián 田

mù 木

wǒ   xǐ   huan yóu yǒng

我 喜 欢 游 泳

I like swimming

目 标 Objectives

- 学会说明爱好 Learn how to talk about hobbies
- 学会介绍家庭成员 Learn how to introduce family members

词 语 Words and Phrases

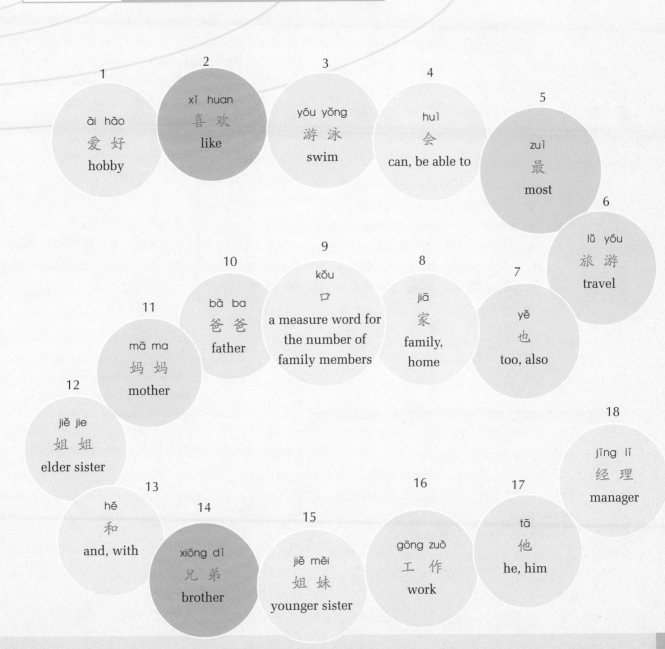

1
ài hào
爱好
hobby

2
xǐ huan
喜欢
like

3
yóu yǒng
游泳
swim

4
huì
会
can, be able to

5
zuì
最
most

6
lǚ yóu
旅游
travel

7
yě
也
too, also

8
jiā
家
family, home

9
kǒu
口
a measure word for the number of family members

10
bà ba
爸爸
father

11
mā ma
妈妈
mother

12
jiě jie
姐姐
elder sister

13
hé
和
and, with

14
xiōng dì
兄弟
brother

15
jiě mèi
姐妹
younger sister

16
gōng zuò
工作
work

17
tā
他
he, him

18
jīng lǐ
经理
manager

句子　Sentences

nǐ yǒu shén me ài hào 1. 你 有 什 么 爱 好?	nǐ jiā yǒu jǐ kǒu rén 4. 你 家 有 几 口 人?
wǒ bú huì yóu yǒng 2. 我 不 会 游 泳。	wǒ méi yǒu xiōng dì jiě mèi 5. 我 没 有 兄 弟 姐 妹。
wǒ zuì xǐ huan lǚ yóu 3. 我 最 喜 欢 旅 游。	wǒ bà ba shì jīng lǐ 6. 我 爸 爸 是 经 理。

情景　Scene

1. What are your hobbies?
2. I can't swim.
3. I like traveling most.
4. How many people are there in your family?
5. I don't have any brothers and sisters.
6. My father is a manager.

Part 1

wáng yǔ　　nǐ yǒu shén me ài hào
王 雨： 你 有 什 么 爱 好?

dà wèi　　wǒ xǐ huan yóu yǒng nǐ ne
大 卫： 我 喜 欢 游 泳, 你 呢?

wáng yǔ　　wǒ bú huì yóu yǒng, wǒ zuì xǐ huan lǚ yóu
王 雨： 我 不 会²⁴ 游 泳, 我 最 喜 欢 旅 游。

dà wèi　　wǒ yě xǐ huan lǚ yóu
大 卫： 我 也²⁵ 喜 欢 旅 游。

24 Modal verb "会" expresses the understanding of how to do something and one's ability to do it. This ability refers to the one acquired generally through learning.

25 "也" should be put behind the subject rather than in front of the subject.

Wang Yu:	What are your hobbies?
David:	I like swimming, how about you?
Wang Yu:	I can't swim. I like traveling most.
David:	I like traveling too.

Part 2

wáng yǔ　　nǐ jiā yǒu jǐ kǒu rén
王 雨：你 家 有 几 口 人？

dà wèi　　sì kǒu bà ba mā ma jiě jie hé wǒ nǐ jiā ne
大 卫：四 口，爸 爸、妈 妈、姐 姐 和 我。你 家 呢？

wáng yǔ　　sān kǒu rén wǒ méi yǒu xiōng dì jiě mèi
王 雨：三 口 人，我 没 有 兄 弟 姐 妹。

dà wèi　　nǐ bà ba zuò shén me gōng zuò
大 卫：你 爸 爸 做 什 么 工 作？

wáng yǔ　　tā shì jīng lǐ
王 雨：他 是 经 理。

Wang Yu:	How many people are there in your family?
David:	Four people: mother, father, elder sister and I. How about your family?
Wang Yu:	Three people, I don't have any brothers and sisters.
David:	What does your father do?
Wang Yu:	He's a manager.

即学即用　Learn and Use

Nǎlǐ, nǎlǐ!
You flatter me!

我喜欢游泳 ▶▶▶▶

活动　Activities

1 语音练习
Pronunciation

朗读词语。
Read aloud.

bà ba	mā ma	jiě jie	jiě mèi	xiōng dì
爸 爸	妈 妈	姐 姐	姐 妹	兄 弟

yóu yǒng	ài hào	gōng zuò	xǐ huan	jīng lǐ
游 泳	爱 好	工 作	喜 欢	经 理

2 问与答
Ask and Answer

根据"情景"选择合适的句子填空。
Fill in the table according to the "Scene".

nǐ jiā yǒu jǐ kǒu rén • 你 家 有 几 口 人?	•
nǐ yǒu shén me ài hào • 你 有 什 么 爱 好?	•
•	wǒ bà ba shì jīng lǐ • 我 爸 爸 是 经 理。

3 看图学词
Look and Learn Words

gēge brother

mèimei young sister

jiějie elder sister

bàba father

māma mother

4 看图选择
Look and Match

把图片与合适的词语连接起来。
Match the pictures with the appropriate phrases.

lǚyóu
travel

guàng jiē
go shopping

yóuyǒng
swim

chàng gē
sing songs

liáotiān
chat

5 双人练习
Pair Work

询问同伴情况，完成下列表格。看看你们可以一起做什么？
Interview your partner and fill in the table. See what you can do together.

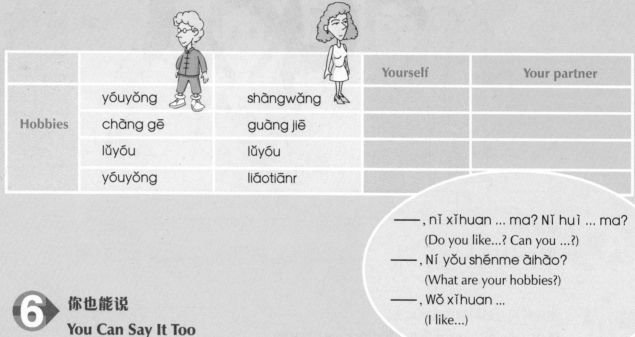

			Yourself	Your partner
Hobbies	yóuyǒng	shàngwǎng		
	chàng gē	guàng jiē		
	lǚyóu	lǚyóu		
	yóuyǒng	liáotiānr		

—— , nǐ xǐhuan ... ma? Nǐ huì ... ma?
(Do you like...? Can you ...?)
—— , Nǐ yǒu shénme àihào?
(What are your hobbies?)
—— , Wǒ xǐhuan ...
(I like...)

6 你也能说
You Can Say It Too

熟读大卫这段话，然后说说你的一家。
Please read David's words below, and then talk about your family.

Wǒ jiā yǒu sì kǒu rén, māma xǐhuan tīng yīnyuè (listen to the music), bàba xǐhuan lǚyóu. Wǒ xǐhuan páshān (climbing the hill), jiějie bù xǐhuan páshān, tā xǐhuan kàn diànyǐng (watch movies). Wǒmen jiā hěn yǒuyìsi (interesting).

7 游戏
Games

猜猜这是谁
Guess who he /she is

让每个学生在卡片上用最简单的方式画上或用拼音写上自己的情况，如：性别、爱好等，然后把所有的卡片放在一起，每人拿一张，猜一猜是谁。要特别注意不要写上自己的姓名。

On a card write down your personal situation: hobbies, gender, family, and so on, then give the cards to your teacher who will shuffle them around and hand them out. Read the card and try to guess who the person is. Please don't write your name on the card.

8 图说汉字
Chinese Pictographs

云 cloud
"云"字像云汽回旋飘动的样子，其本义即指云气。云是由空中水汽凝聚而成，积久则变为雨，后来"云"字增加雨头，表示它与雨有关。

The character "云" looks like clouds floating about, hence its primary meaning "cloud". As clouds are in fact light drops of water, which will fall as rain when heavy enough, later the character"云"has a rain part "雨" added, to indicate its relation with rain.

雨 rain
"雨"的四个点像雨点。这上面的一横是天空。
The four dots inside "雨" look like rain drops, and the upper line is the sky.

yún

yǔ

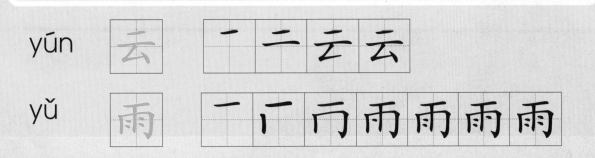

wǒ　men　jīng　cháng lián　xì　ba

我 们 经 常 联 系 吧

Let's keep in touch

目标 Objectives

- 说明学习汉语的原因 Learn to give reasons for studying Chinese
- 学会留地址和与朋友告别 Learn to leave messages and say goodbye to friends

词语 Words and Phrases

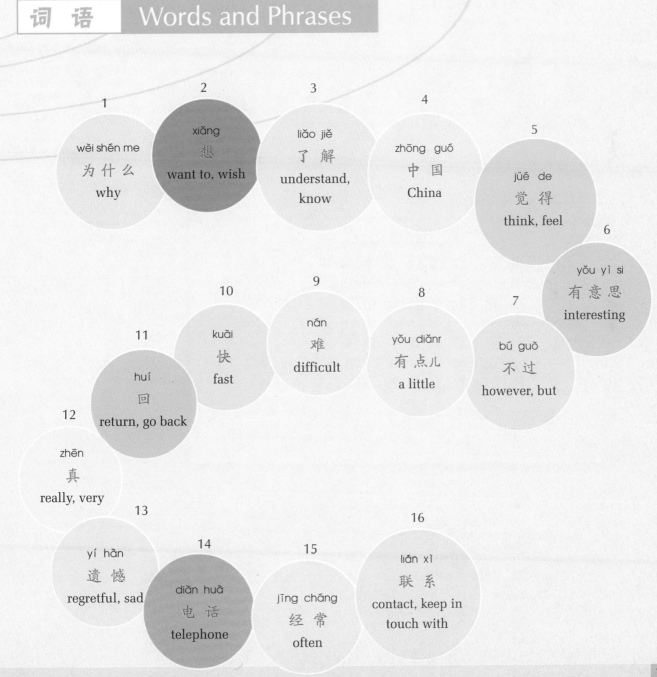

1 wèi shén me
为什么
why

2 xiǎng
想
want to, wish

3 liǎo jiě
了解
understand, know

4 zhōng guó
中国
China

5 jüé de
觉得
think, feel

6 yǒu yì si
有意思
interesting

7 bú guò
不过
however, but

8 yǒu diǎnr
有点儿
a little

9 nán
难
difficult

10 kuài
快
fast

11 huí
回
return, go back

12 zhēn
真
really, very

13 yí hàn
遗憾
regretful, sad

14 diàn huà
电话
telephone

15 jīng cháng
经常
often

16 lián xì
联系
contact, keep in touch with

句子　Sentences

wǒ xiǎng liǎo jiě zhōng guó
1. 我 想 了 解 中 国。

Hàn yǔ hěn yǒu yì si
2. 汉 语 很 有 意 思。

bú guò yǒu diǎnr nán
3. 不 过 有 点儿 难。

shí jiān tài kuài le
4. 时 间 太 快 了。

wǒ men jīng cháng lián xì ba
5. 我 们 经 常 联 系 吧。

1. I want to get to know China.
2. Chinese is very interesting.
3. But it is a little difficult.
4. Time flies.
5. Let's keep in touch.

情　景　Scene

Part 1

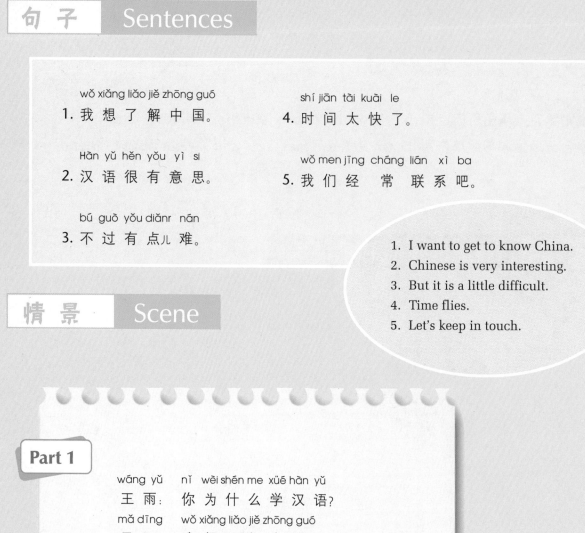

wáng yǔ　nǐ wèi shén me xué hàn yǔ
王 雨: 你 为 什 么 学 汉 语?

mǎ dīng　wǒ xiǎng liǎo jiě zhōng guó
马 丁: 我 想 了 解 中 国。

wáng yǔ　nǐ jué de hàn yǔ yǒu yì si ma
王 雨: 你 觉 得 汉 语 有 意 思 吗?

mǎ dīng　hěn yǒu yì si bú guò yǒu diǎnr nán
马 丁: 很 有 意 思, 不 过 有 点儿 难。

Wang Yu:　Why are you studying Chinese?
Martin:　I want to get to know China.
Wang Yu:　Do you think Chinese is interesting?
Martin:　Yes, but it is a little difficult.

Part 2

dà wèi　shí jiān tài kuài le　wǒ míng tiān huí guó
大卫：时间太快了，我明天回国。

wáng yǔ　zhēn yí hàn
王雨：真遗憾。

dà wèi　zhè shì wǒ de diàn huà
大卫：这是我的电话。

wáng yǔ　hǎo nǐ yǒu e-mail ba
王雨：好，你有 e-mail 吧？

dà wèi　yǒu a　wǒ de e-mail shì chinese_ct@yahoo.com.cn
大卫：有啊，我的 e-mail 是 chinese_ct@yahoo.com.cn.

wáng yǔ　wǒ men jīng cháng lián xì ba
王雨：我们经常联系吧。

dà wèi　hǎo de
大卫：好的。

David:	Time flies. I am going back home tomorrow.
Wang Yu:	That's really sad.
David:	This is my telephone number.
Wang Yu:	Ok, do you have e-mail?
David:	Yes, I do. My e-mail address is chinese_ct@yahoo.com.cn
Wang Yu:	Let's keep in touch.
David:	Ok.

即学即用 Learn and Use

校车

Duō bǎozhòng!
Take care!

活动 Activities

1 语音练习
Pronunciation

朗读词语。
Read aloud.

liǎo jiě	jué de	yí hàn	lián xì	jīng cháng
了 解	觉 得	遗 憾	联 系	经 常

yǒu yì si	yǒu diǎnr nán	tài kuài le	zhēn yí hàn
有 意 思	有 点儿 难	太 快 了	真 遗 憾

2 问与答
Ask and Answer

根据"情景"选择合适的句子填空。
Fill in the table according to the "Scene".

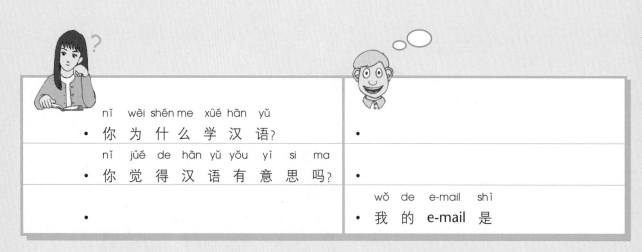

nǐ wèi shén me xué hàn yǔ • 你 为 什 么 学 汉 语?	•
nǐ jué de hàn yǔ yǒu yì si ma • 你 觉 得 汉 语 有 意 思 吗?	•
•	wǒ de e-mail shì • 我 的 e-mail 是

3 看图学词
Look and Learn Words

nánguò
saol

kuàilè
enjoyful

xìngfú
happy

4 全班活动
Assembly

每人选择一件事，跟大家说一说自己的感受。说完以后，大家要给他/她提两个问题。
Look at the following topics. Chooses one item and describe your feelings to your class. The class should ask you 2 questions after your description.

xüé Hànyǔ	study Chinese
wǒ de lǎoshī	my teacher
shàngkè	attend class
mǎi dōngxi	go shopping
chī fàn	have a meal
wèn lù	ask for the directions
zuò chē	take a bus
wǒde fángjiān	my room
shēng bìng	illness
dǎ diànhuà	make a telephone call
wǒ de jiātíng	my family
wǒ de àihào	my hobby
wǒ de péngyou	my friend
huí guó	go back to my country

你也能说
You Can Say It Too

 熟读大卫这段话，然后说说你的情况。
Please read David's words below, and give your version.

> Shíjiān tài kuài le, wǒ míngtiān huí guó, wǒ zhēn shěbude wǒ de péngyoumen. Wǒ zhīdào Wáng Yǔ de diànhuà, wǒ huí guó yǐhòu (after) gěi tā dǎ diànhuà, wǒmen hái kěyǐ yòng (use) e-mail liánxì.

 游戏
Games

词语接龙
The word dragon

请从下面的卡片中选择合适的词语做连接词语的游戏。规则如下：
词语里必须有一个字和上一个词语中的一个字相同。

Please choose a suitable word to begin the game. Rules: someone will say a two-character word, and the next person will choose any one of the characters in it and use it to make a new word.

For example:

上课 shàngkè —— 上午 shàngwǔ —— 下午 xiàwǔ —— 中午 zhōngwǔ —— 中国 Zhōngguó

英语	Yīngyǔ	公共汽车	gōnggòng qìchē
英国	Yīngguó	一共	yígòng
中国	Zhōngguó	一天	yì tiān
中午	zhōngwǔ	天安门	Tiān'ānmén
下午	xiàwǔ	门口儿	ménkǒur
下车	xià chē	开门	kāi mén

7 图说汉字
Chinese Pictographs

多 more, many

"多"在古时候是用两块并排的肉来表示的，用两块肉表示数量多。古人喜欢把两个或三个相同的事物放在一起，来强调数量多。

"多" in ancient times was two pieces of meat together in order to show a large number. Ancient Chinese liked to use multiple things to show a large amount.

少 less, few

这个字在古时候和"小"是一个字，古人觉得沙子是最小的、最微不足道的东西，所以就用沙子的形象来造了"小"字。不过后来古人把两个意思用两个不同的字形区分开来了，small 用"小"表示，less 用"少"表示，千万别弄混了。

This character "少" in ancient times was the same as 小, indicating tiny pieces of sand, which were considered the smallest things in the world. Later they were differentiated into two characters: "小" meaning small and "少" meaning few or less. Don't mix them up.

| duō | 多 | 丿 | 勹 | 夕 | 夗 | 多 | 多 |

| shǎo | 少 | 丨 | 亅丶 | 小 | 少 | | |

Jasmine Flower

What a pretty jasmine flower!

What a pretty jasmine flower!

None of the flowers in the garden are more fragrant than it.

I'd like to pick it to wear,

But I'm afraid its keeper will scold me.

xiān qǐ nǐ de gài tou lái
掀起你的盖头来

新疆民歌
王洛宾 搜集整理

xiān qǐ le nǐ de　gài tou lái　　ràng wǒ kàn nǐ de méi　mao
掀 起 了 你 的　盖 头 来，　　让 我 看 你 的 眉　毛，

nǐ de néi mao　xì yòu cháng a　hǎo xiàng nà shù shāo de wān yuè liang
你 的 眉 毛　细 又 长 啊，好 像 那 树 梢 的 弯 月 亮，

nǐ de méi mao　xì yòu cháng a　hǎo xiàng nà shù shāo de wān yuè liang
你 的 眉 毛　细 又 长 啊，好 像 那 树 梢 的 弯 月 亮。

Lifting Up Your Bridal Veil

Lifting up your bridal veil,

Let me see your eyebrows.

Your eyebrows are thin and long,

Looking like the crescent moon resting on a tree branch.

语言注释列表
Index of Language Tips

Unit 1

1. 你**贵姓**?

   "贵姓"是"姓什么"的一种客气、尊敬说法。

2. 你叫**什么**名字?

   汉语疑问句的语序与英语不同,与陈述句的语序是一样的,只需要把相应的部分替换成疑问词语,不需要变化语序。

3. 我叫马丁,**你呢**?

   "你呢"在句子中的意思是"你叫什么"。"呢"在名词或代词的后边,构成疑问句,句子的意思要根据前面的句子来决定,如:"我是英国人,你呢?"的意思是:你是哪国人?"我要学汉语,你呢?"的意思是:"你要学汉语吗?"

4. 我叫**王雨**。

   中国人的习惯是姓在前,名在后。回答自己姓名的时候一般要告诉别人自己的全名。

Unit 2

5. 你是英国留学生**吗**?

   一般来说,陈述句在句末加上"吗"就变成了疑问句,回答的时候用句中动词或形容词的肯定式和否定式回答。如:你们下午上课吗?上课。/不上课。

6. **不是**,我是美国留学生。

   "不"在第一声、第二声和第三声前读"bù",在第四声前读第二声"bú"。

7. 你住**哪**儿?

   汉语中有很多韵母儿化的词语。发儿化音的时候,不要把"儿"念成独立的音节,而是把舌头稍稍翘起来一些。例如:"门口儿"应该念成 ménkǒur 而不是 ménkǒuér。

8. 我住留学生楼**311**。

   为了区别"1"和"7",数字"1"在电话号码、汽车号码以及房间号码中通常念作 yāo,如 413 房间应念成"sìyāosān"。

Unit 3

9. 现在**几**点?

   "几"在句中是询问 10 以内的数量。

10. 7点**10分**。

    除了 10 分以内的时间以外,其余的时间可不用分。如 7 点 10 分,7 点 11(分)。在汉语里,时间词一般放在句子的前边或者主语的后边,不能放在句子的后边。

Unit 4

11. 拿**一个**方便面。

    "一"在第一声、第二声和第三声前读"yì",在第四声前读第二声"yí"。例如:"一天"、"一年"、"一种"、"一次"。

12. 三**块**五(一瓶)// 这是五**毛**。

    在口语中常说"块"和"毛",但是商店里的价签上一般标"元"和"角"。

13. 要**两瓶**。

    这里的"两"不能说成"二"。一定要记住:数词"二"的后面如果有"量词"就不能说"二",要说"两"。如:两杯水、两个人。

Unit 5

14. 吃**点儿**什么?

    "点儿"是"一点儿"的省略表达,一般在名词前修饰名词,表示少而不定的数量。如:学(一)点儿汉语。

Unit 6

15. 洗手间**在电梯旁边**。

    可以用"在+地点+方位词语"表示方位。

16. 这儿**有**超市吗?

    "有"表示存在和方位,"有"的否定是"没有",不是"不有"。

Unit 8

17. 我忘**了**带钥匙。

    "了"在动词后面,表示动作完成。

18. 我的空调坏**了**。

    "名词/代词+的+名词"表示某物属于某人的意思。如:我的书、马修的钥匙。

19. 我**的**空调坏了。

    "了"用在句尾,表示变化。在这里的意思是:以前空调没有坏,现在情况变了,空调坏了。

20. 马上**就**来修。

    "就+动词"表示动作在很短的时间内即将发生。

21. 我马上就**来**修。

"来" 在这里的意思是 "come"。

Unit 9

22. 吃药了吗？**没吃**。

"没（有）" 和 "不" 这两个词都表示否定。"没（有）" 否定的是过去已经发生的动作或状态，如 "我昨天没吃药"。"不" 否定的是现在或将来发生的动作以及说话人的意愿，如 "我明天不去银行"，"我不喜欢看电视"。

23. 去医院**看看**吧。

动词重叠经常表示动作经历的时间短暂，也表示尝试。在此处，"看看" 是 "看" 的重叠形式，重叠后句子听起来柔和委婉，含有建议的意思。

Unit 11

24. 我**不会**游泳。

"会" 表示懂得怎样做和有能力做某事。但是这种能力一般是指需要经过学习才能获得的能力。

25. 我**也**喜欢旅游。

"也" 应该放在主语的后边，不能放在主语的前边。

词 类 简 称 表
Abbreviations for Parts of Speech

Abbreviation	Word Classes in English	Word Classes in Chinese	Word Classes in *Pinyin*
n	noun	名词	míngcí
pn	proper noun	专有名词	zhuānyǒu míngcí
v	verb	动词	dòngcí
mv	modal verb	能愿动词	néngyuàn dòngcí
a	adjective	形容词	xíngróngcí
pron	pronoun	代词	dàicí
num	numeral	数词	shùcí
m	measure word	量词	liàngcí
adv	adverb	副词	fùcí
prep	preposition	介词	jiècí
conj	conjunction	连词	liáncí
pt	particle	助词	zhùcí
int	interjection	叹词	tàncí

词 汇 表
Vocabulary Index

1

你	pron	nǐ	you
好	a	hǎo	good, fine
叫	v	jiào	call
什么	pron	shénme	what
名字	n	míngzi	name
我	pron	wǒ	I, me
呢	pt	ne	a modal particle used at the end of an interrogative sentence
是	v	shì	be
哪	pron	nǎ	which
国	n	guó	nation, country
人	n	rén	people, person
英国	pn	Yīngguó	UK

2

留学生		liúxuéshēng	overseas student
吗	pt	ma	a question particle
不	adv	bù	no, not
美国	pn	Měiguó	America
学	v	xué	study, learn

汉语	n	Hànyǔ	Chinese (language)
住	v	zhù	live
哪儿	pron	nǎr	where
楼	n	lóu	building
号	m	hào	number
有	v	yǒu	have
时间	n	shíjiān	time
一起	adv	yīqǐ	together
玩儿	v	wánr	play, have fun
吧	pt	ba	a modal particle
啊	pt	a	attached at the end of a sentence to indicate admiration, to soften the sentence

3

现在	n	xiànzài	now
几	pron	jǐ	how many
点	n & num	diǎn	o'clock
分	n & num	fēn	minute
每天		měitiān	every day
上午	n	shàngwǔ	morning
上课		shàngkè	attend class
半	num	bàn	half
明天	n	míngtiān	tomorrow
周末	n	zhōumò	weekend
今天	n	jīntiān	today
号	n	hào	date
下午	n	xiàwǔ	afternoon
做	v	zuò	do
我们	pron	wǒmen	we, us
班	n	bān	class
两	m	liǎng	two
去	v	qù	go
颐和园	pn	Yíhéyuán	the Summer Palace
网吧	n	wǎngbā	cyber café

4

小姐	n	xiǎojiě	Miss, waitress
那	pron	nà / nèi	that
方便面		fāngbiànmiàn	instant noodles
拿	v	ná	take, hold, get
个	m	gè	a measure word
多少	pron	duōshao	how much, how many

钱	n	qián	money
块	m	kuài	a measure word of basic Chinese monetary unit (=1 *yuan* or 10 *mao*)
还	adv	hái	still, more
要	mv	yào	want, need
啤酒	n	píjiǔ	beer
瓶	n & num	píng	bottle
一共	adv	yígòng	altogether
这	pron	zhè / zhèi	this
零钱	n	língqián	small change, pocket money
没	adv	méi	not
毛	m	máo	a fractional unit of money in China (=1/10 *yuan* or 10 *fen*)
谢谢	v	xièxie	thanks

5

你们	pron	nǐmen	you
吃	v	chī	eat
（一）点儿		(yì) diǎnr	a little bit
来	v	lái	order a dish in a restaurant
炒油菜		chǎoyóucài	fried baby boc choi
烤鸭		kǎoyā	roast duck
听说		tīngshuō	hear of, it is said
很	adv	hěn	very
只	m	zhī	a measure word for duck, chicken etc
好吃	a	hǎochī	delicious
主食	n	zhǔshí	staple food
碗	n & num	wǎn	bowl; a measure word
米饭	n	mǐfàn	cooked rice
别的	pron	biéde	other

6

请	v	qǐng	please
问	v	wèn	ask
请问		qǐngwèn	may I ask ...
洗手间		xǐshǒujiān	restroom, toilet
在	v & prep	zài	in, at, on
前边	n	qiánbian	in front
远	a	yuǎn	far
就	adv	jiù	just
电梯	n	diàntī	elevator, escalator
旁边	n	pángbiān	beside
这儿	pron	zhèr	here

超市	n	chāoshì	supermarket
怎么	pron	zěnme	how
走	v	zǒu	go, walk
往	prep	wǎng	to, toward
前	n	qián	front
然后	adv	ránhòu	then
右	n	yòu	right
拐	v	guǎi	turn

7

师傅	n	shīfu	a respectful form of address for a skilled worker such as a driver, chef etc.
天安门	pn	Tiān'ānmén	Tian An Men
上（车）	v	shàng (chē)	get on a bus
车	n	chē	vehicle
到	v	dào	arrive
了	pt	le	used after a verb, expresses the completion of an action
麻烦	v	máfan	trouble; troublesome
您	pron	nín	a polite form of "you"
停	v	tíng	stop
一下		yíxià	used after a verb to indicate one action or one try in a short time
给	v	gěi	give
前门	pn	Qiánmén	Qianmen
地铁	n	dìtiě	subway
换	v	huàn	change
西直门	pn	Xīzhímén	Xizhimen
坐	v	zuò	go by, sit
公共汽车		gōnggòng qìchē	bus
可以	pt & adv	kěyǐ	can, may; ok, alright
路	n & num	lù	route, road

8

哎呀	int	āi ya	oops, expressing surprise
忘	v	wàng	forget
带	v	dài	bring, take carry ... with sb.
钥匙	n	yàoshi	key
没关系		méi guānxi	never mind, it doesn't matter
帮	v	bāng	help
开门		kāimén	open the door
打扫	v	dǎsǎo	clean

房间	n	fángjiān	room
问题	n	wèntí	problem
垃圾	n	lājī	rubbish
放	v	fàng	put
门口儿	n	ménkǒur	doorway
哦	int	ò	oh, indicating understanding or re-alization
的	pt	de	used after a noun, pronoun or adjective to form a construction in order to modify a noun
空调	n	kōngtiáo	air conditioner
坏	a	huài	broken, doesn't word, bad
马上	adv	mǎshàng	right away
修	v	xiū	repair

9

舒服	a	shūfu	comfortable, well
怎么了		zěnme le	what's the matter
头	n	tóu	head
疼	a	téng	painful
头疼	v	tóuténg	headache
发烧	v	fāshāo	have a fever
感冒	v & n	gǎnmào	have a cold
药	n	yào	medicine
医院	n	yīyuàn	hospital
看	v	kàn	see, look, watch
用	v	yòng	use
能	mv	néng	can, be able to
请假		qǐngjià	ask for leave
多	a	duō	more
喝	v	hē	drink
水	n	shuǐ	water
休息	v	xiūxi	have a rest

10

喂	int	wèi	hello (used in receiving phone calls)
位	m	wèi	a measure word for people
晚上	n	wǎnshang	evening
空儿	n	kòngr	free time
事儿	n	shìr	matter, affair
京剧	n	jīngjù	Beijing opera
怎么样	pron	zěnmeyàng	how about
懂	v	dǒng	understand

字幕	n	zìmù	subtitle
太…了		tài … le	too
见面		jiànmiàn	meet
大厅	n	dàtīng	lounge
准时	a	zhǔnshí	on time, punctual

11

爱好	n	àihào	hobby
喜欢	v	xǐhuan	like
游泳	v	yóuyǒng	swim
会	mv	huì	can, be able to
最	adv	zuì	most
旅游	v	lǚyóu	travel
也	adv	yě	too, also
家	n	jiā	family, home
口	m & n	kǒu	a measure word for the number of family members
爸爸	n	bàba	father
妈妈	n	māma	mother
姐姐	n	jiějie	elder sister
和	conj & prep	hé	and, with
兄弟	n	xiōngdì	brother
姐妹	n	jiěmèi	younger sister
工作	v & n	gōngzuò	work
他	pron	tā	he, him
经理	n	jīnglǐ	manager

12

为什么		wèishénme	why
想	v & mv	xiǎng	want to, wish
了解	v	liǎojiě	understand, know
中国	pn	Zhōngguó	China
觉得	v	juéde	think, feel
有意思		yǒuyìsi	interesting
不过	conj	búguò	however, but
有点儿		yǒudiǎnr	a little
难	a	nán	difficult
快	a	kuài	fast
回	v	huí	return, go back
真	adv	zhēn	really, very
遗憾	a	yíhàn	regretful, sad
电话	n	diànhuà	telephone
经常	a	jīngcháng	often
联系	v	liánxì	contact, keep in touch with

郑 重 声 明

　　高等教育出版社依法对本书享有专有出版权。任何未经许可的复制、销售行为均违反《中华人民共和国著作权法》,其行为人将承担相应的民事责任和行政责任,构成犯罪的,将被依法追究刑事责任。为了维护市场秩序,保护读者的合法权益,避免读者误用盗版书造成不良后果,我社将配合行政执法部门和司法机关对违法犯罪的单位和个人给予严厉打击。社会各界人士如发现上述侵权行为,希望及时举报,本社将奖励举报有功人员。

反盗版举报电话:(010) 58581897/58581896/58581879

传　　真:(010) 82086060

E－mail: dd@hep.com.cn

通信地址: 北京市西城区德外大街 4 号
　　　　　　高等教育出版社打击盗版办公室

邮　　编: 100011

　　购书请拨打电话:(010)58581118

图书在版编目(CIP)数据

体验汉语．留学篇：供2周使用 / 田艳．陈作宏编．北京：
高等教育出版社，2005.7
ISBN 7-04-017733-1

Ⅰ．体 ... Ⅱ．①田 ... ②陈 ... Ⅲ．汉语－对外汉语
教学－教材 Ⅳ.H195.4

中国版本图书馆 CIP 数据核字(2005)第 073707 号

出版发行	高等教育出版社		购书热线	010－58581118	
社 址	北京市西城区德外大街4号		免费咨询	800－810－0598	
邮政编码	100011		网 址	http://www.hep.edu.cn	
总 机	010－58581000			http://www.hep.com.cn	
经 销	北京蓝色畅想图书发行有限公司		网上订购	http://www.landraco.com	
印 刷	北京佳信达艺术印刷有限公司			http://www.landraco.com.cn	
开 本	889×1194 1/16		版 次	2005年7月第1版	
印 张	7.75		印 次	2005年7月第1次印刷	
字 数	150 000		定 价	38.00元 (含光盘)